本 試 験 型　'25年版

漢字検定
試験問題集

6級

成美堂出版

目次

「6級」試験問題・最新の傾向 ——*

●受検者数と合格率

漢字能力検定試験の申し込みをする人は、2023年度には約141万5千人になりました。「6級」は1年間で約9万1千人の人が受検しています。

「6級」の合格率は約8割弱ですが、8～9割前後の合格率である10級から7級までにくらべると、少し気を引きしめたほうがよいでしょう。7級まではない形式の問題もあるので、どのような問題が出題されるのかを知って対策をねっておくことも大切です。

●最新のテスト傾向

平成29年改訂の小学校学習指導要領が2020年度から全面実施されたことにともない、漢字検定では一部の漢字の配当級が変更されました。「賀」「群」「徳」「富」「恩」「券」「承」「舌」「銭」「退」「敵」「俵」「預」が6級配当漢字から外れ、「囲」「紀」「喜」「救」「型」「航」「告」「殺」「士」「史」「象」「賞」「貯」「停」「堂」「得」「毒」「費」「粉」「脈」「歴」が7級から加わりました。

また、今まで2級～5級配当漢字であった「茨」「媛」「岡」「熊」「埼」「鹿」「栃」「奈」「梨」「阪」「阜」「潟」「佐」「崎」「滋」「縄」「岐」「香」「井」「沖」「城」が7級配当漢字となりましたので6級の出題範囲になっています。6級で出題される可能性もありますので、特に7級に加わった漢字は都道府県名に使う漢字であるため、しっかりと覚えましょう。

6級の出題内容

1 6級の出題はんいの漢字

漢字検定6級では、小学校一年生から五年生までに習う漢字すべてが、出題はんいになります。全部で八三五字あります。これらの漢字をどれだけ理解しているかを見る試験です。レベルとしては、小学校五年生を修了した程度の漢字の試験といえるでしょう。

2 重要なのは「6級配当漢字」

出題はんいの漢字のうち、小学校五年生で習う漢字が一九三字あります。これはとても重要な漢字で、「6級配当漢字」といいます。試験問題の90パーセントは、この「6級配当漢字」です。

3 「読み」「書き」の中心は「配当漢字」

読みの問題は、短い文章のなかの漢字の読みや、単語、二字じゅく語の音読みか訓読みかを答える問題などが出ます。書きの問題は、三字じゅく語の一文字や、短い文章のなかのカタカナのところを、漢字になおしたり、漢字と送りがなで答える問題などが出ます。

4 「画数」「部首」も「6級配当漢字」から

画数の問題では、漢字を太くした画が何画目かを答える筆順の問題と、その漢字が全部で何画かを答える総画数の問題が出ます。

部首の問題では、部首名をえらんだり、漢字の部首を書いたりします。どちらの問題にも「6級配当漢字」が多く使われています。

106ページからの「6級配当漢字表」でしっかり勉強しましょう。

級別出題内容（一例）

「－」は出題されません
9・10級は省略

級＼内容	短文中の漢字の読み	筆順・画数	漢字識別	部首・部首名	熟語の構成	漢字と送りがな	対義語 類義語	三・四字熟語	同音・同訓異字	誤字訂正	短文中の書き取り	対象漢字数
8級	短文中の漢字の読み	筆順・画数	－	同じ部首の漢字	－	送りがな	対義語	－	音訓判断	－	短文中の書き取り	四四〇字
7級	（同上）	（同上）	漢字えらび	（同上）	－	（同上）	（同上）	二字熟語	（同上）	－	（同上）	六四二字
6級	短文中の漢字の読み	筆順・画数	漢字えらび	部首・部首名	熟語の構成	漢字と送りがな	対義語類義語	三字熟語	同音・同訓異字	－	短文中の書き取り	八三五字
5級	短文中の漢字の読み	筆順・画数	漢字えらび	部首・部首名	熟語の構成	漢字と送りがな	対義語 類義語	四字の熟語	同音・同訓異字	－	短文中の書き取り	一、〇二六字
4級	（同上）	－	漢字識別	（同上）	（同上）	（同上）	（同上）	四字熟語	（同上）	誤字訂正	（同上）	一、三三九字
3級	（同上）	－	（同上）	部首	（同上）	（同上）	（同上）	（同上）	（同上）	（同上）	（同上）	一、六二三字
準2級	（同上）	－	－	（同上）	（同上）	（同上）	（同上）	（同上）	（同上）	（同上）	（同上）	一、九五一字
2級	（同上）	－	－	（同上）	（同上）	（同上）	（同上）	（同上）	（同上）	（同上）	（同上）	二、一三六字

級												
準1級	読み	書き取り	熟字訓 当て字	熟語の読み 一字訓読み	国字	誤字訂正	同音・同訓異字	四字熟語	対義語 類義語	故事 ことわざ	文章題（書き・読み）	約三、〇〇〇字
1級	（同上）	（同上）	（同上）	（同上）	（同上）	（同上）	（同上）	（同上）	（同上）	（同上）	（同上）	約六、〇〇〇字

本書は出題が予想される形式で構成しています。実際の試験は、日本漢字能力検定協会の審査基準の変更の有無にかかわらず、出題形式や問題数が変更されることもあります。

6級の採点の基準は？

5 4 3 2 1

はねる・とめるも採点

答えの字は、かい書体（くずさずきちんと書く書き方）で書かないといけません。くずした字や、らんざつな字は×です。一画一画、はねる、とめる、はなす、つづけるなどに気をつけて、ていねいに書きましょう。点のあるなしにも気をつけましょう。

常用漢字以外の答えは×

答えに常用漢字でない字を書くと×になります。常用漢字とは、日常で使う漢字を決めたもので、小学校、中学校の教科書に使用されている漢字です。

「読み」「送りがな」の採点

常用漢字表にない読みは×です。たとえば「文」の字を「あや」と読むのは常用漢字表にない読みです。送りがなは「送り仮名の付け方」（内閣告示）が採点の基準です。

「部首」「筆順」の採点

部首は「漢検要覧2～10級対応 改訂版」（日本漢字能力検定協会発行）で示しているものを正解としています。筆順は「筆順指導の手びき」（旧文部省編）が基準になります。

合格ラインは正解率70％前後

合格点は正解率70％前後以上です。６級は二百点満点ですから、百四十点前後が合格ラインです。

点画を正しく

求 児 刑 失（点つき・はねる・はらう）

句 東（つづけない・とめる）

りゃく字は×　関×（関）

旧字体は×　状×（状）

ふだんから文字をかい書体で書く練習をしましょう。

6級はこのように行われる

1 受検資格・申込方法

小学校、中学校、高等学校、専門学校などの児童、生徒から大学生、社会人まで、国籍を問わず、だれでも受検できます。個人で受検する場合は日本漢字能力検定協会のホームページ（https://www.kanken.or.jp/kanken/）から申し込みを行います。

2 受検方法

個人受検には①「公開会場」での受検、②「漢検CBT」（自分の都合のよい日程でテストセンターで受検）、③「漢検オンライン（個人受検）」（自宅で受検。タブレットなどが必要）の三種があります。３以降では①公開会場での受検を説明します。

3 申込期間

申込期間は検定日の約二か月前から約一か月前まで。申込締切日までは、「マイページ」上で「住所」、「電話番号」、「受検地」の変更および、「検定料が同じ級」への変更、申込キャンセルが可能です。「検定料が異なる級」への変更は、元の受検級のキャンセル後に再申し込みが必要です。

4 検定日・検定料

漢字検定は毎年三回行われています。検定料の支払いはクレジットカードやコンビニ店頭などで行います。検定料は変わることがあるので、漢字検定の広告や問い合わせ先（下記）、ホームページなどで確かめてください。

5 受検会場・検定時間

漢字検定は全国のおもな都市で行っており、申込時に希望の受検地を選べます。「マイページ」や受検票で受検会場が案内されます。検定時間は六〇分です。

6 合格発表

検定日から約五日後に標準解答がweb上で公開されます。また約三〇日後にはweb上で合否がわかります。検定日から約四〇日後、合格者には合格証書、合格証明書、検定結果通知などが、また不合格者には検定結果通知が郵送されます。

漢字検定についての問い合わせ先 ☞ 公益財団法人　日本漢字能力検定協会

〈本　　部〉〒605-0074 京都市東山区祇園町南側551番地

〈ホームページ〉https://www.kanken.or.jp/

ホームページにある「よくある質問」を読んで該当する質問がみつからなければメールフォームでお問合せください。電話でのお問合せ窓口は0120-509-315（無料）です。

※本書の情報は2024年10月現在のものです。

テストに入る前に

① テストに取りかかる前に、106ページからの「6級配当漢字表」を、読んでおくことをおすすめします。

② 答えは、一画一画ていねいに書きましょう。

③ テストは1回60分です。時間を守りましょう。

④ 自分の答えを、別冊の答えとてらしあわせて、自分で採点しましょう。

⑤ まちがえたところは、二度とまちがえないように心がけましょう。

テスト&資料

チカラがつく

答えに、常用漢字の旧字体や常用漢字以外の漢字および常用漢字表にない読みを使ってはいけません。

テストの構成

㈠読み
㈡漢字と送りがな
㈢部首名と部首
㈣画数
㈤じゅく語の構成
㈥三字のじゅく語
㈦対義語・類義語
㈧じゅく語作り
㈨音と訓
㈩同じ読みの漢字
(土)漢字

6級

第1回★テスト（60分）

◇合計点◇

（200点満点の　　点）

- 140点以上　合格
- 110点以上　合格まであと一歩
- 80点以上　さらに努力を

1×20　　/20

(一) 次の——線の**漢字の読み**を**ひらがな**で書きなさい。

1 学校の周囲は高台になっている。（　）
2 公衆衛生に気をつけましょう。（　）
3 長年の計画を実行に移す。（　）
4 低気圧のえいきょうで雨が多い。（　）
5 液体から固体への変化を観察する。（　）
6 どうぞ末永くお幸せに。（　）
7 毎日、家と学校を往復する。（　）
8 母の用事を快く引き受ける。（　）
9 議題を賛成多数で可決する。（　）
10 易しい試験問題で助かった。（　）
11 ようやくなぞが解けた。（　）
12 ミツバチは益虫です。（　）
13 桜前線は南方から北上する。（　）
14 あきずに銀河を観察する。（　）
15 パソコンを市価の半値で買う。（　）
16 取材の費用を仮ばらいする。（　）
17 議員が街頭で演説している。（　）
18 休日に母に編み物を習う。（　）
19 おばの三回忌の法事を営む。（　）
20 のど元過ぎれば熱さをわすれる（　）

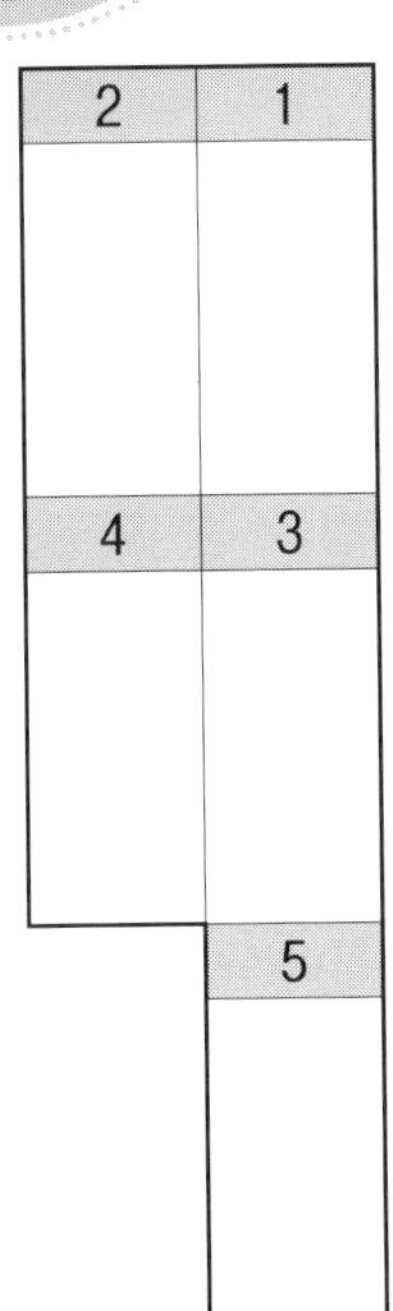

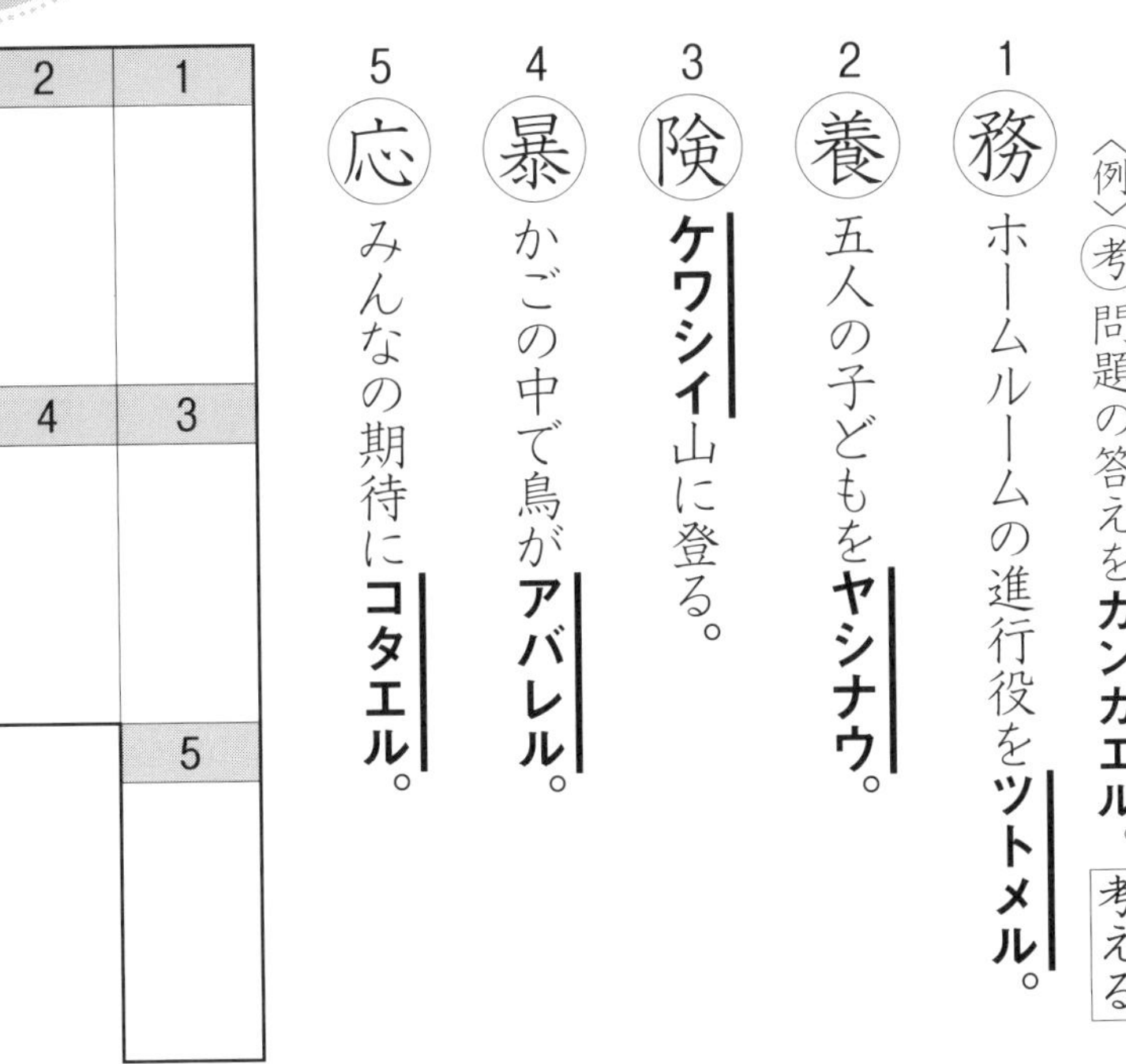

2×5 ／10

(二)

次の——線のカタカナを○の中の漢字と**送りがな（ひらがな）**で書きなさい。

〈例〉考 問題の答えを**カンガエル**。 考える

1 務 ホームルームの進行役を**ツトメル**。

2 養 五人の子どもを**ヤシナウ**。

3 険 **ケワシイ**山に登る。

4 暴 かごの中で鳥が**アバレル**。

5 応 みんなの期待に**コタエル**。

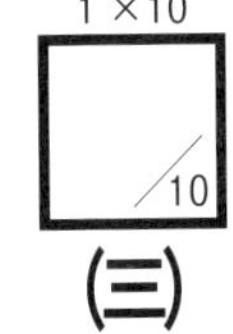

1×10 ／10

(三)

次の漢字の**部首名**と**部首**を書きなさい。**部首名**は、後の□から選んで**記号**で答えなさい。

〈例〉引・強 （イ）〔弓〕

漢字	部首名	部首
〈例〉引・強	（イ）	〔弓〕
検・格	（1）	〔2〕
則・判	（3）	〔4〕
害・容	（5）	〔6〕
仏・修	（7）	〔8〕
編・絶	（9）	〔10〕

ア いとへん
イ ゆみへん
ウ にんべん
エ わかんむり
オ きへん
カ さんづくり
キ うかんむり
ク のぎへん
ケ くち
コ りっとう

2	1
4	3
6	5
8	7
10	9

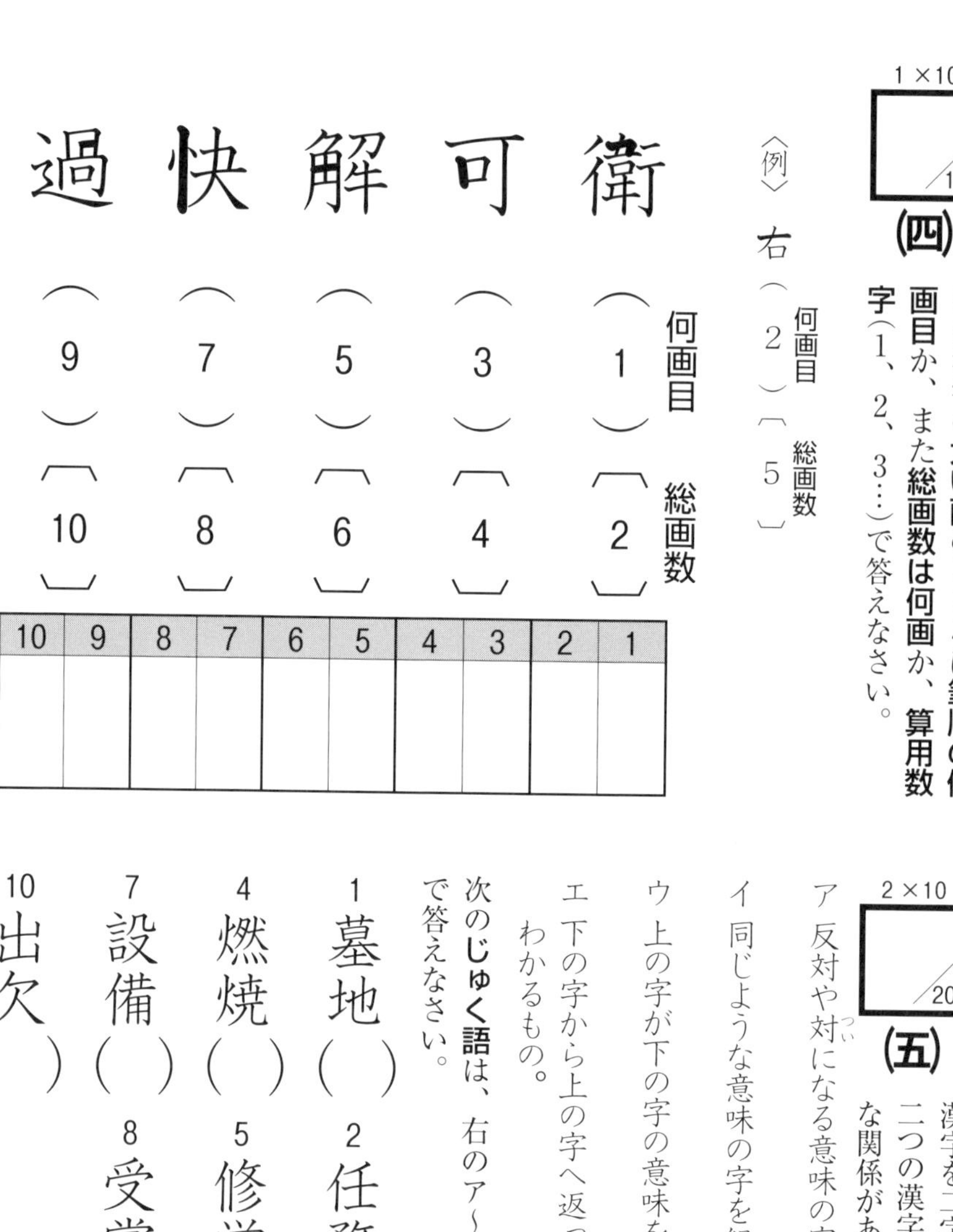

(四)

1×10　/10

次の漢字の**太い画**のところは**筆順の何画目**か、また**総画数は何画**か、**算用数字**（1、2、3…）で答えなさい。

〈例〉右　何画目（2）　総画数（5）

漢字	何画目	総画数
衛	（1）	（2）
可	（3）	（4）
解	（5）	（6）
快	（7）	（8）
過	（9）	（10）

1	2	3	4	5	6	7	8	9	10

(五)

2×10　/20

漢字を二字組み合わせたじゅく語では、二つの漢字の間に意味の上で、次のような関係があります。

ア　反対や対（つい）になる意味の字を組み合わせたもの。（例…**強弱**）

イ　同じような意味の字を組み合わせたもの。（例…**進行**）

ウ　上の字が下の字の意味を説明（修飾（しょく））しているもの。（例…**直線**）

エ　下の字から上の字へ返って読むと意味がよくわかるもの。（例…**開会**）

次の**じゅく語**は、右のア～エのどれにあたるか、**記号**で答えなさい。

1　墓地（　）
2　任務（　）
3　加減（　）
4　燃焼（　）
5　修学（　）
6　銅像（　）
7　設備（　）
8　受賞（　）
9　旧型（　）
10　出欠（　）

(六)

2×10 ／20

次のカタカナを漢字になおし、一字だけ書きなさい。

1 建チク家
2 観ソク所
3 決ダン力
4 ゾウ船所
5 付ゾク物
6 テイ出日
7 栄養ソ
8 ソウ選挙
9 能リツ的
10 チョウ本人

1	2
3	4
5	6
7	8
9	10

(七)

2×10 ／20

後の□の中のひらがなを漢字になおして、対義語(意味が反対や対になることば)と、類義語(意味がよくにたことば)を書きなさい。□の中のひらがなは一度だけ使い、漢字一字を書きなさい。

対義語

理想—(1)実
消極—(2)極
生産—消(3)
肉体—(4)神
勝利—(5)北

類義語

周辺—周(6)
平等—(7)等
命令—指(8)
運送—運(9)
技能—技(10)

げん　せい　せっ　はい　ひ

い　きん　じ　じゅつ　ゆ

1	2	3	4	5	6	7	8	9	10

(八)

2×6 ／12

上の読みの漢字を□の中から選び、(　)にあてはめて**じゅく語**を作りなさい。答えは**記号**で書きなさい。

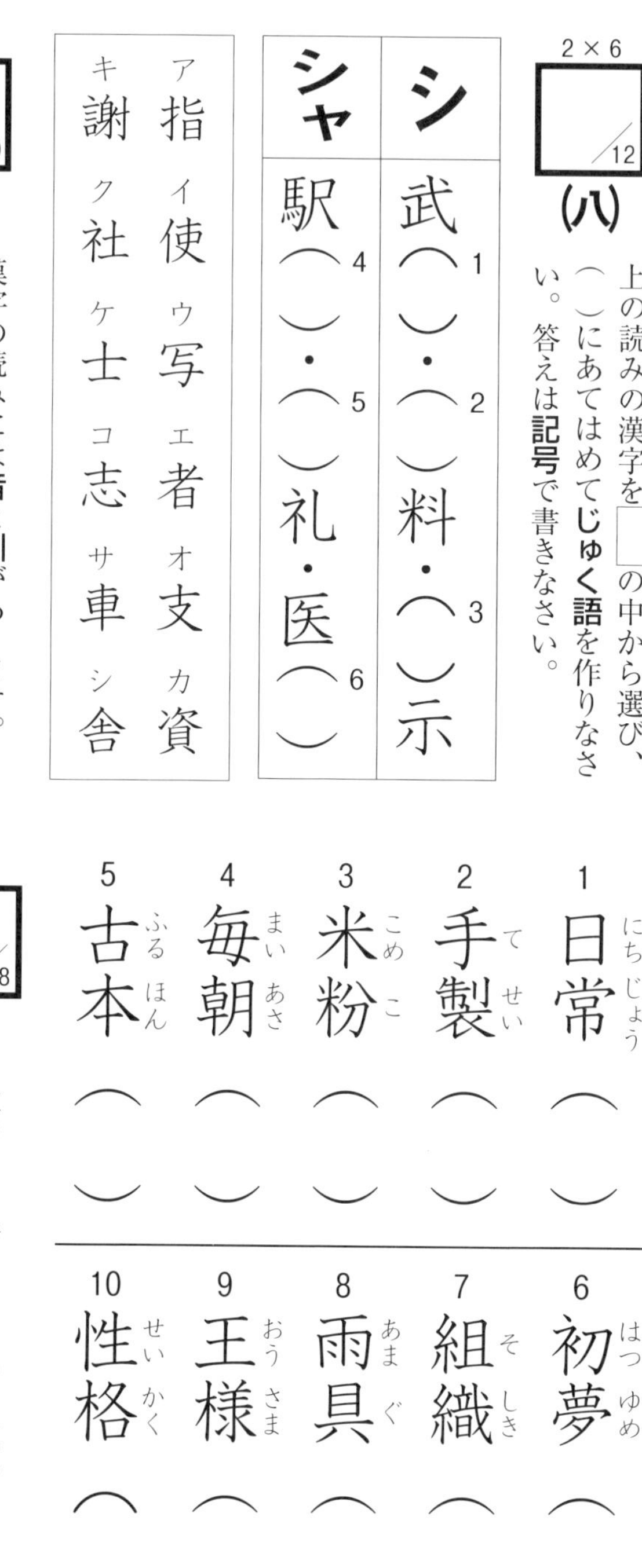

シ	シャ
武(1　)・(2　)料・(3　)示	駅(4　)・(5　)礼・医(6　)

ア 指　イ 使　ウ 写　エ 者　オ 支　カ 資　キ 謝　ク 社　ケ 士　コ 志　サ 車　シ 舎

(九)

2×10 ／20

漢字の読みには**音**と**訓**があります。次の**じゅく語の読み**は□の中のどの組み合わせになっていますか。ア〜エの**記号**で答えなさい。

ア 音と音　イ 音と訓　ウ 訓と訓　エ 訓と音

1 日常（にちじょう）（　　）
2 手製（てせい）（　　）
3 米粉（こめこ）（　　）
4 毎朝（まいあさ）（　　）
5 古本（ふるほん）（　　）
6 初夢（はつゆめ）（　　）
7 組織（そしき）（　　）
8 雨具（あまぐ）（　　）
9 王様（おうさま）（　　）
10 性格（せいかく）（　　）

(十)

2×9 ／18

次の――線の**カタカナ**を**漢字**になおしなさい。

1 病院で血を**ト**ってもらう。（　　）
2 **ト**って付けたような言葉だ。（　　）
3 電話で用**ケン**を伝える。（　　）
4 インフルエンザの**ケン**査を受けた。（　　）

5 交通事**コ**にまきこまれる。（　　）

6 人の体力には**コ**人差がある。（　　）

7 パンに野**サイ**サラダをそえる。（　　）

8 仕事を変えて**サイ**出発する。（　　）

9 国**サイ**的に活やくする。（　　）

(十)

2×20 ／40

次の——線の**カタカナ**を**漢字**になおしなさい。

1 学級新聞を**キュウカン**にする。（　　）

2 遠足では足に**ナ**れたくつをはく。（　　）

3 借金を銀行に**ゼンガク**返す。（　　）

4 質問の内容をよく**タシ**かめる。（　　）

5 新**カンセン**を二本乗りつぐ。（　　）

6 カラオケ室の**ボウオン**工事を行う。（　　）

7 北海道の**タンコウ**あとをたずねる。（　　）

8 人より**ヨケイ**に勉強する。（　　）

9 **テンキョ**の知らせがとどく。（　　）

10 春を**ツ**げる鳥の声が聞こえる。（　　）

11 発明品の**トッキョ**を取る。（　　）

12 職人がもめんの**ヌノ**を織る。（　　）

13 将(しょう)来役に立つ**ケイケン**をつむ。（　　）

14 自動車を左に**ヨ**せて停車する。（　　）

15 友と別れてから**ヒサ**しい。（　　）

16 台風が日本に**セッキン**している。（　　）

17 真実を話す機会を**エ**た。（　　）

18 とっさの判断に**スク**われた。（　　）

19 兄の意見に初めて**サカ**らう。（　　）

20 音楽に**コッキョウ**はない（　　）

6級

第2回★テスト（60分）

◇合計点◇

（200点満点の　　　点）

● 140点以上
合格
● 110点以上
合格まであと一歩
● 80点以上
さらに努力を

1×20
□ /20

(一) 次の——線の**漢字の読み**を**ひらがな**で書きなさい。

1 兄からプレゼントをもらって喜んだ。（　　）
2 眼下に雲海が広がっていた。（　　）
3 友人たちと額を集めて考え込む。（　　）
4 市が緑化基金をもうける。（　　）
5 木の幹にノコギリを当てる。（　　）
6 世界一周中の客船が寄港する。（　　）
7 父の許しを得て旅行する。（　　）
8 宇宙（うちゅう）船の技術者を志望する。（　　）
9 他人をあてにしない主義だ。（　　）
10 一人で逆上がりの練習をする。（　　）
11 主人のそばにねこが居る。（　　）
12 旧式のカメラを愛用する。（　　）
13 隣（りん）家との境に常緑樹（じゅ）を植える。（　　）
14 三人でおやつを均等に分ける。（　　）
15 授業中のおしゃべりは禁物だ。（　　）
16 大阪を経て和歌山へ行く。（　　）
17 文章には句読点をつける。（　　）
18 公園のハトがえさに群がる。（　　）
19 身の潔白を明らかにする。（　　）
20 習うより慣れよ（　　）

(二)

2×5 /10

次の――線のカタカナを○の中の漢字と送りがな(ひらがな)で書きなさい。

〈例〉(考) 問題の答えをカンガエル。 [考える]

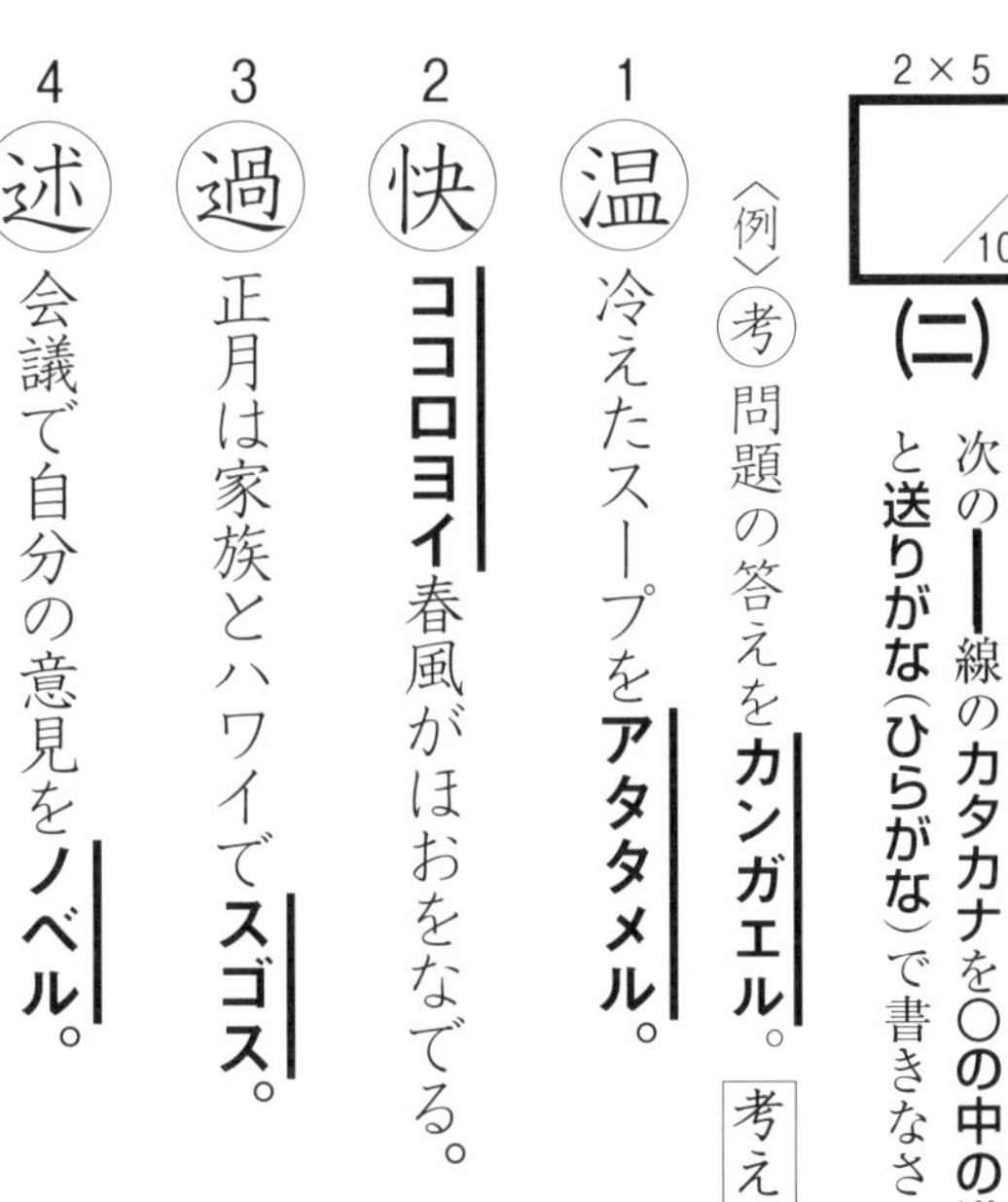

1 (温) 冷えたスープをアタタメル。

2 (快) ココロヨイ春風がほおをなでる。

3 (過) 正月は家族とハワイでスゴス。

4 (述) 会議で自分の意見をノベル。

5 (断) 正当な理由で入会をコトワル。

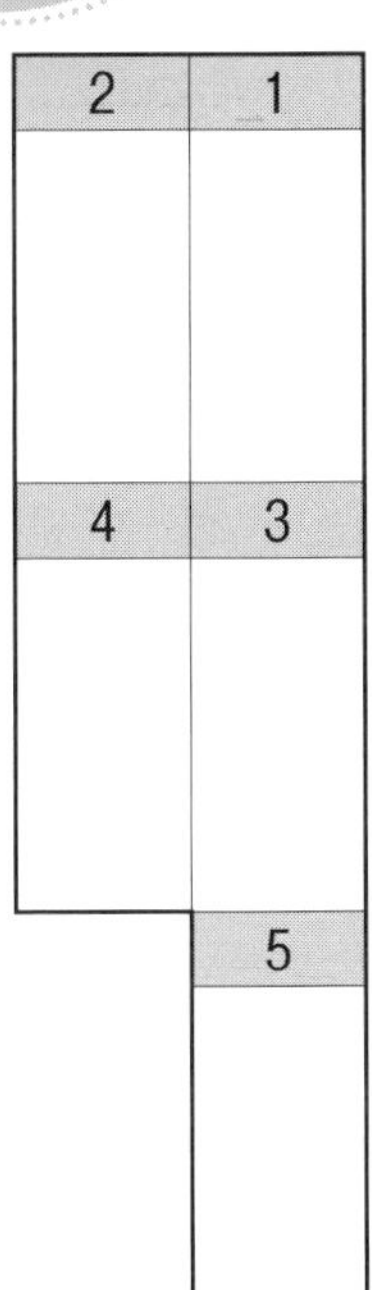

2	1
4	3
	5

(三)

1×10 /10

次の漢字の部首名と部首を後の□から選んで記号で答えなさい。部首名は、後の□から選んで答えなさい。

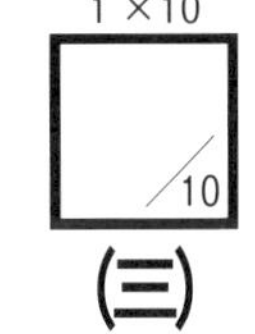

〈例〉引・強 (イ) 〔弓〕 部首名 部首

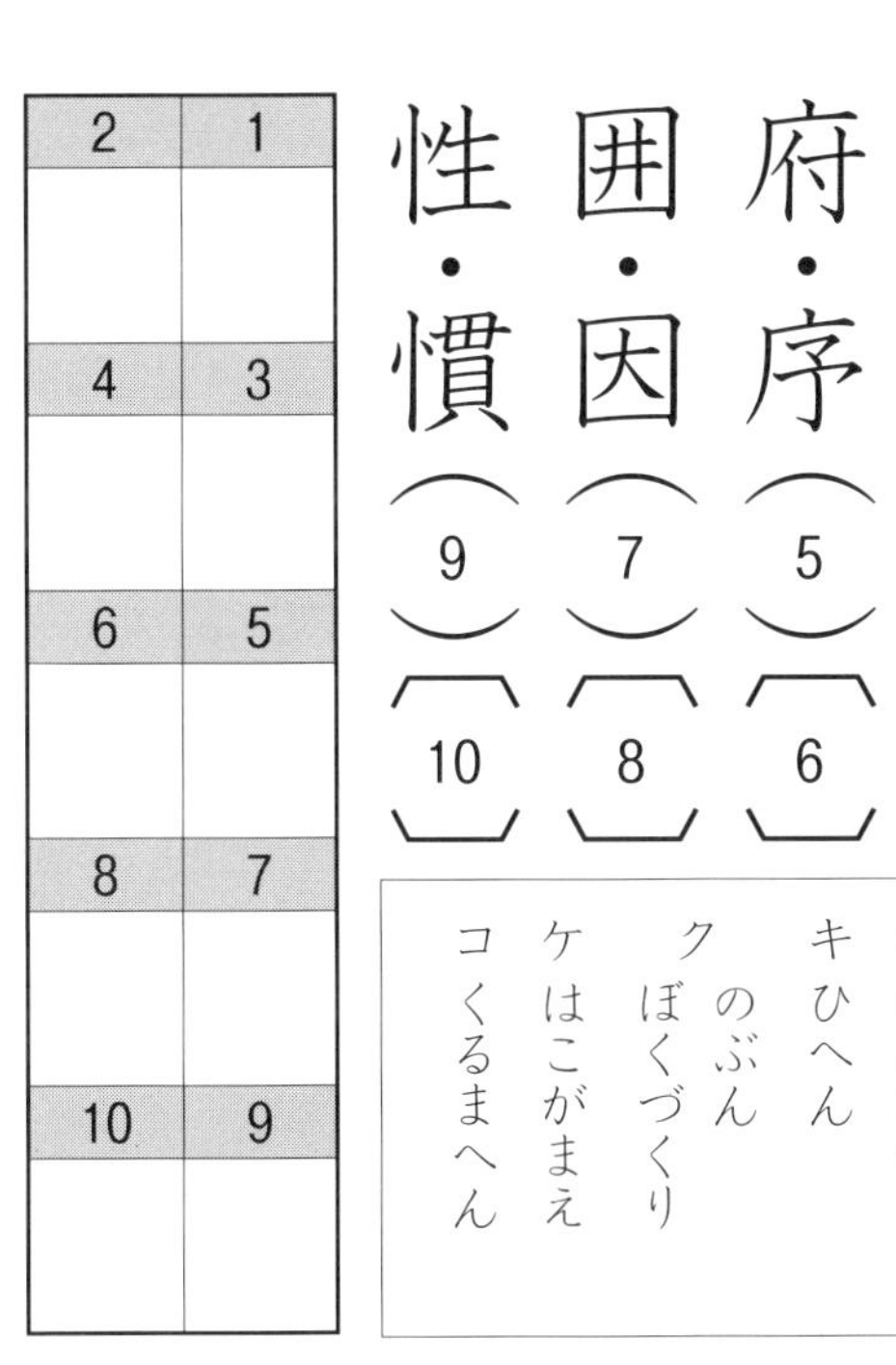

	部首名	部首
輪・輸	(1)	〔 2 〕
救・政	(3)	〔 4 〕
府・序	(5)	〔 6 〕
囲・因	(7)	〔 8 〕
性・慣	(9)	〔 10 〕

ア まだれ
イ ゆみへん
ウ りっしんべん
エ くち
オ くにがまえ
カ がんだれ
キ ひへん
ク ぼくづくり
 のぶん
ケ はこがまえ
コ くるまへん

2	1
4	3
6	5
8	7
10	9

1×10

/10

(四)

次の漢字の**太い画**のところは**筆順の何画目か**、また**総画数は何画か**、**算用数字**(1、2、3…)で答えなさい。

〈例〉 右(2)(5) 何画目 総画数

何画目 総画数

刊 (1)(2)
基 (3)(4)
義 (5)(6)
句 (7)(8)
潔 (9)(10)

1	2	3	4	5	6	7	8	9	10

2×10

/20

(五)

漢字を二字組み合わせたじゅく語では、二つの漢字の間に意味の上で、次のような関係があります。

ア 反対や対(つい)になる意味の字を組み合わせたもの。 (例…**強弱**)

イ 同じような意味の字を組み合わせたもの。 (例…**進行**)

ウ 上の字が下の字の意味を説明(修飾(しょく))しているもの。 (例…**直線**)

エ 下の字から上の字へ返って読むと意味がよくわかるもの。 (例…**開会**)

次の**じゅく語**は、右のア〜エのどれにあたるか、**記号**で答えなさい。

1 日光( )
2 保守( )
3 問答( )
4 速球( )
5 省略( )
6 禁漁( )
7 明暗( )
8 報告( )
9 改心( )
10 防火( )

第2回

(六)

2×10 ／20

次の**カタカナ**を**漢字**になおし、**一字だけ**書きなさい。

1 **トウ**計表

2 木**ハン**画

3 **フ**人服

4 前**ニン**者

5 **ドク**立国

6 予**ビ**品

7 不**ネン**物

8 指**ドウ**者

9 小麦**コ**

10 **ヒ**公開

1	2
3	4
5	6
7	8
9	10

(七)

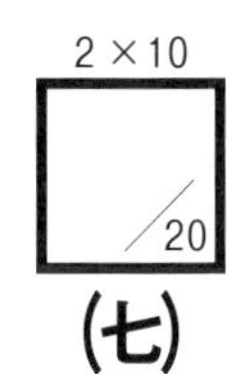

後の□の中のひらがなを漢字になおして、**対義語**（意味が反対や対（つい）になることば）と、**類義語**（意味がよくにたことば）を書きなさい。□の中のひらがなは**一度だけ**使い、**漢字一字**を書きなさい。

対義語

減少―（1）加

個人―（2）体

反対―（3）成

本店―（4）店

予習―（5）習

類義語

気楽―安（6）

日常―平（7）

指図―指（8）

性質―性（9）

人工―人（10）

さん　し　ぞう　だん　ふく

い　かく　じ　そ　ぞう

1	2	3	4	5	6	7	8	9	10

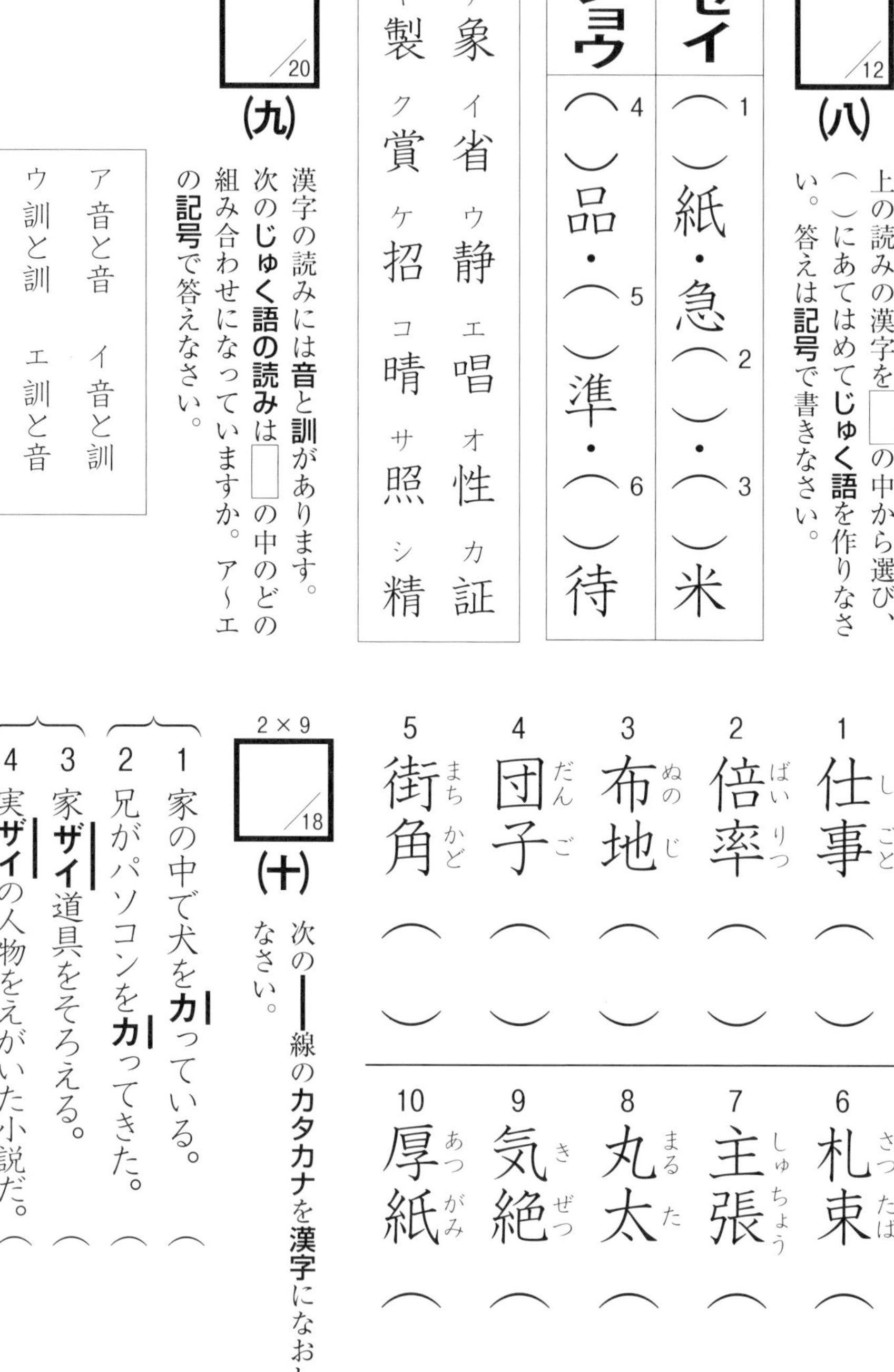

(八) 2×6 ／12

上の読みの漢字を□の中から選び、( )にあてはめて**じゅく語**を作りなさい。答えは**記号**で書きなさい。

セイ (1)紙・急(2)・(3)米

ショウ (4)品・(5)準・(6)待

ア 象　イ 省　ウ 静　エ 唱　オ 性　カ 証
キ 製　ク 賞　ケ 招　コ 晴　サ 照　シ 精

(九) 2×10 ／20

漢字の読みには**音**と**訓**があります。次の**じゅく語の読み**は□の中のどの組み合わせになっていますか。ア～エの**記号**で答えなさい。

ア 音と音　イ 音と訓
ウ 訓と訓　エ 訓と音

1 仕事（しごと）( )
2 倍率（ばいりつ）( )
3 布地（ぬのじ）( )
4 団子（だんご）( )
5 街角（まちかど）( )
6 札束（さつたば）( )
7 主張（しゅちょう）( )
8 丸太（まるた）( )
9 気絶（きぜつ）( )
10 厚紙（あつがみ）( )

(十) 2×9 ／18

次の――線の**カタカナ**を**漢字**になおしなさい。

1 家の中で犬を**カ**っている。( )
2 兄がパソコンを**カ**ってきた。( )
3 家**ザイ**道具をそろえる。( )
4 実**ザイ**の人物をえがいた小説だ。( )

5 授業で日本の歴**シ**を学ぶ。（　　）
6 クラスでウサギを**シ**育する。（　　）
7 第三**シャ**の意見を聞きたい。（　　）
8 国民宿**シャ**にとまる。（　　）
9 講師に**シャ**礼金をわたす。（　　）

(十) 次の——線の**カタカナ**を**漢字**になおしなさい。

2×20 ／40

1 **ケンアク**な目つきで言い争う。（　　）
2 晴天続きでダムの水が**へ**る。（　　）
3 今は二十一**セイキ**だ。（　　）
4 ぶたいに主役が**アラワ**れる。（　　）
5 野球の試合を**サイカイ**する。（　　）
6 バットを**カマ**えて投球を待つ。（　　）
7 馬が**アバ**れて走り出す。（　　）
8 二ヘクタールの畑を**タガヤ**す。（　　）
9 がまんにも**ゲンド**がある。（　　）
10 将(しょう)来に大きな**ユメ**をいだく。（　　）
11 こん虫を**サイシュウ**する。（　　）
12 ふとんの**ワタ**を打ち直す。（　　）
13 男女**コンセイ**のマラソン大会だ。（　　）
14 近所の**ショクドウ**に出かける。（　　）
15 練習の**コウカ**があらわれる。（　　）
16 グラウンドに**イキオ**いよく飛び出す。（　　）
17 夫が**サイシ**とはなれてくらす。（　　）
18 **ユタ**かな才能にめぐまれた人。（　　）
19 サッカーの**コクサイ**大会が開かれた。（　　）
20 **テンサイ**はわすれたころにやってくる（　　）

6級 第3回★テスト（60分）

◇合計点◇

200点満点の　点

- 140点以上　合格
- 110点以上　合格まであと一歩
- 80点以上　さらに努力を

(一) 次の――線の**漢字の読み**を**ひらがな**で書きなさい。　1×20　/20

1 血なまぐさい事件が起きる。（　）
2 救急車で病院に運ばれた。（　）
3 見わたす限りの焼け野原だ。（　）
4 故人をしのぶ会をもよおす。（　）
5 言葉による表現力を養う。（　）
6 宣伝（せん）が効いて来客が多い。（　）
7 姉に個室があたえられる。（　）
8 友人の立場を弁護する。（　）
9 売れ行きが不調で減産する。（　）
10 厚いサンドイッチをほおばる。（　）
11 畑の中を耕運機が走る。（　）
12 だれも私（わたくし）を構ってくれない。（　）
13 鉱石ラジオをつくって遊ぶ。（　）
14 引っこしの荷造りを始める。（　）
15 入学式は講堂で行われた。（　）
16 紅（こう）茶にミルクを混ぜて飲む。（　）
17 お正月に妻の実家へ向かう。（　）
18 民宿の裏（うら）山でキノコを採る。（　）
19 学校までのきょりを測る。（　）
20 馬の耳に念仏（　）

2×5 /10

(二)

次の――線のカタカナを○の中の漢字と**送りがな**(ひらがな)で書きなさい。

〈例〉(考)問題の答えを**カンガエル**。[考える]

1 (確)集合時間を友人に**タシカメル**。

2 (喜)姉の入試合格を**ヨロコブ**。

3 (久)気の合ういとこと**ヒサシク**会っていない。

4 (囲)池の周りをさくで**カコウ**。

5 (逆)時には親の意見に**サカラウ**。

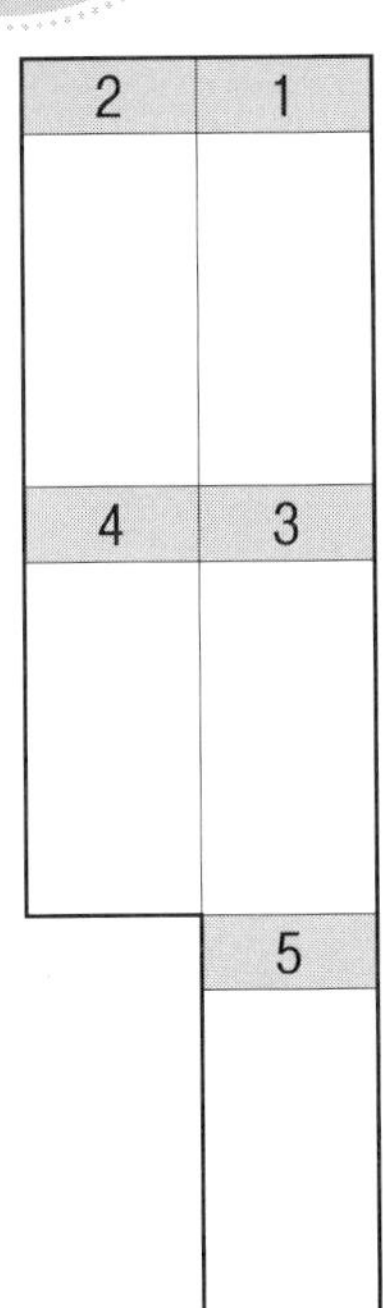

1	2
3	4
5	

1×10 /10

(三)

次の漢字の**部首名**と**部首**を書きなさい。**部首名**は、後の[ ]から選んで**記号**で答えなさい。

〈例〉引・強 部首名(イ) 部首〔弓〕

	部首名	部首
際・限	(1)	(2)
巣・単	(3)	(4)
造・迷	(5)	(6)
灯・燃	(7)	(8)
液・準	(9)	(10)

ア えんにょう
イ ゆみへん
ウ こざとへん
エ しんにょう しんにゅう
オ ひへん
カ おおざと
キ つかんむり
ク れんが れっか
ケ さんずい
コ こころもへん

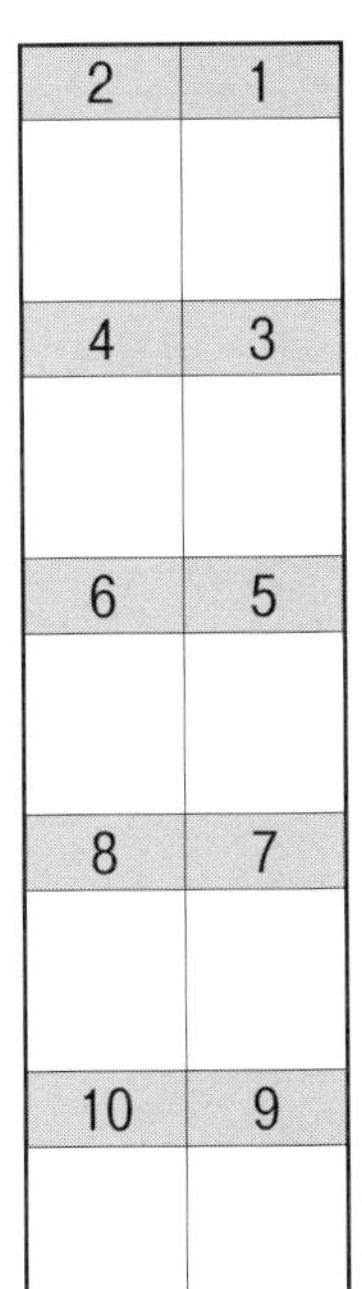

1	2
3	4
5	6
7	8
9	10

1×10

/10

(四)

次の漢字の**太い画**のところは**筆順の何画目か**、また**総画数は何画か**、**算用数字**(1、2、3…)で答えなさい。

〈例〉 右 何画目〔2〕 総画数〔5〕

	興	左	妻	講	耕
何画目	〔1〕	〔3〕	〔5〕	〔7〕	〔9〕
総画数	〔2〕	〔4〕	〔6〕	〔8〕	〔10〕

1	2	3	4	5	6	7	8	9	10

2×10

/20

(五)

漢字を二字組み合わせたじゅく語では、二つの漢字の間に意味の上で、次のような関係があります。

ア 反対や対(つい)になる意味の字を組み合わせたもの。(例…**強弱**)

イ 同じような意味の字を組み合わせたもの。(例…**進行**)

ウ 上の字が下の字の意味を説明(修飾(しょく))しているもの。(例…**直線**)

エ 下の字から上の字へ返って読むと意味がよくわかるもの。(例…**開会**)

次の**じゅく語**は、右のア～エのどれにあたるか、**記号**で答えなさい。

1 原因( )　2 旧友( )　3 特技( )

4 往来( )　5 転落( )　6 発芽( )

7 定価( )　8 軽重( )　9 永遠( )

10 校舎( )

(六)

2×10 /20

次のカタカナを漢字になおし、一字だけ書きなさい。

1 美ヨウ院
2 住民ゼイ
3 電ポウ文
4 ブ勇伝
5 人カク者

6 ル守電
7 調サ隊
8 フッ活祭
9 ホ健室
10 リョウ事館

1	2
3	4
5	6
7	8
9	10

(七)

2×10 /20

後の□の中のひらがなを漢字になおして、対義語（意味が反対や対（つい）になることば）と、類義語（意味がよくにたことば）を書きなさい。□の中のひらがなは一度だけ使い、漢字一字を書きなさい。

対義語

害虫―（1）虫
推（すい）進―（2）止
発車―（3）車
実名―（4）名
禁止―（5）可

類義語

建設―建（6）
転業―転（7）
活発―（8）活
自立―（9）立
母国―（10）国

えき　か　きょ　てい　ぼう

かい　しょく　そ　ちく　どく

1	2	3	4	5	6	7	8	9	10

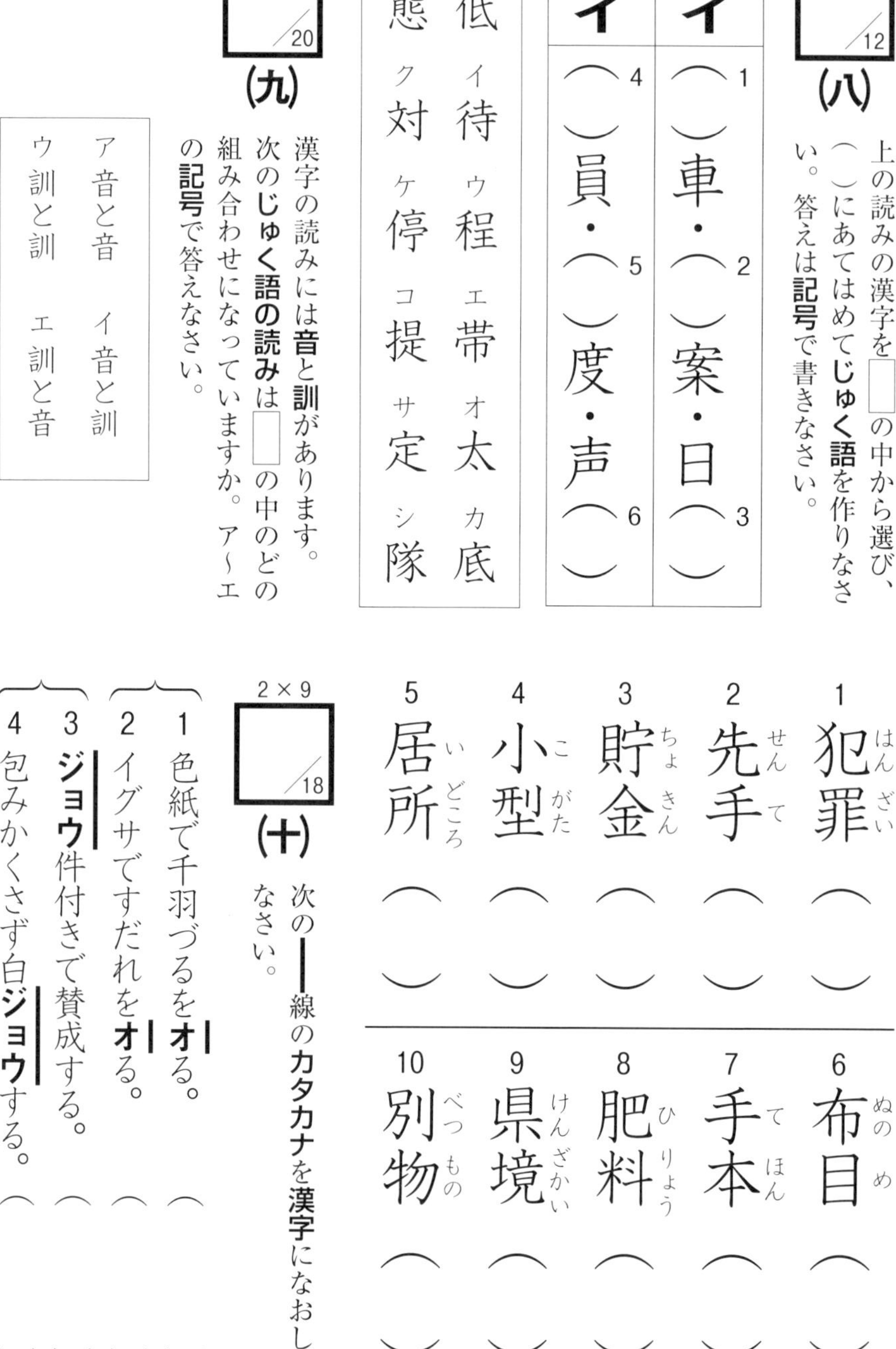

(八) 2×6 ／12

上の読みの漢字を□の中から選び、（　）にあてはめて**じゅく語**を作りなさい。答えは**記号**で書きなさい。

テイ
1（　）車・2（　）案・日3（　）

タイ
4（　）員・5（　）度・声6（　）

ア 低　イ 待　ウ 程　エ 帯　オ 太　カ 底
キ 態　ク 対　ケ 停　コ 提　サ 定　シ 隊

(九) 2×10 ／20

漢字の読みには**音**と**訓**があります。次の**じゅく語の読み**は□の中のどの組み合わせになっていますか。ア〜エの**記号**で答えなさい。

ア 音と音　イ 音と訓
ウ 訓と訓　エ 訓と音

1 犯罪（はんざい）（　）
2 先手（せんて）（　）
3 貯金（ちょきん）（　）
4 小型（こがた）（　）
5 居所（いどころ）（　）
6 布目（ぬのめ）（　）
7 手本（てほん）（　）
8 肥料（ひりょう）（　）
9 県境（けんざかい）（　）
10 別物（べつもの）（　）

(十) 2×9 ／18

次の——線の**カタカナ**を**漢字**になおしなさい。

1 色紙で千羽づるを**オ**る。（　）
2 イグサですだれを**オ**る。（　）
3 **ジョウ**件付きで賛成する。（　）
4 包みかくさず白**ジョウ**する。（　）

5 **トク**意な教科は算数だ。（　　）
6 道**トク**の授業で発言する。（　　）
7 感受**セイ**の豊かな少女だった。（　　）
8 **セイ**服を着るのは好きでない。（　　）
9 **セイ**治家になりたい。（　　）

(十) 次の――線の**カタカナ**を**漢字**になおしなさい。

2×20 ／40

1 沖合をタンカーが**コウコウ**している。（　　）
2 故郷（きょう）の**ア**りし日のすがたをしのぶ。（　　）
3 先生に**カンシャ**の言葉をのべる。（　　）
4 兄は科学者を**ココロザ**している。（　　）
5 算数の**ジュギョウ**が好きだ。（　　）
6 都市の人口が毎年**フ**える。（　　）
7 **ゾウキ**林でたきぎを集める。（　　）
8 友人たちと計画を実行に**ウツ**す。（　　）
9 学校の**キソク**を守って生活する。（　　）
10 難（むずか）しいなぞなぞを**ト**いた。（　　）
11 今回は君の意見を**シジ**する。（　　）
12 日日の**イトナ**みを大切にする。（　　）
13 ブタに**シリョウ**をあたえる。（　　）
14 雨が**フタタ**び降（ふ）り出した。（　　）
15 将（しょう）来を**アンジ**するような出来事だ。（　　）
16 洋服の**カリ**ぬいをしてもらう。（　　）
17 こわれた時計を**シュウリ**する。（　　）
18 少年時代を名古屋で**ス**ごす。（　　）
19 反対意見の理由を**ノ**べる。（　　）
20 **ナサ**けは人のためならず（　　）

6級

第4回★テスト（60分）

◇合計点◇

200点満点の　　　点

- 140点以上 合格
- 110点以上 合格まであと一歩
- 80点以上 さらに努力を

1×20　　/20

(一) 次の――線の漢字の読みをひらがなで書きなさい。

1 卒業してからも交際を続ける。（　　）
2 大型バスの運転手になりたい。（　　）
3 二宮尊徳（にのみやそんとく）は実在した人だ。（　　）
4 丸太を組んでやぐらを支える。（　　）
5 電話中に雑音が入りこむ。（　　）
6 あなたのお志に感謝します。（　　）
7 高山で酸欠状態になる。（　　）
8 父は市役所の職員だ。（　　）
9 話が枝道にそれる。（　　）
10 牧師のおだやかな語り口が好きだ。（　　）
11 進学調査の資料をまとめる。（　　）
12 つがいのインコを飼う。（　　）
13 外出時に人目を意識する。（　　）
14 示し合わせておいとまする。（　　）
15 人々の努力で平和な世界を築く。（　　）
16 妹は母親似のおとなしい人だ。（　　）
17 薬局で消毒液を買った。（　　）
18 不良少年の素行がおさまる。（　　）
19 二つの物の重さを比べる。（　　）
20 罪をにくんで人をにくまず（　　）

2×5　／10

(二)

次の――線のカタカナを○の中の漢字と送りがな(ひらがな)で書きなさい。

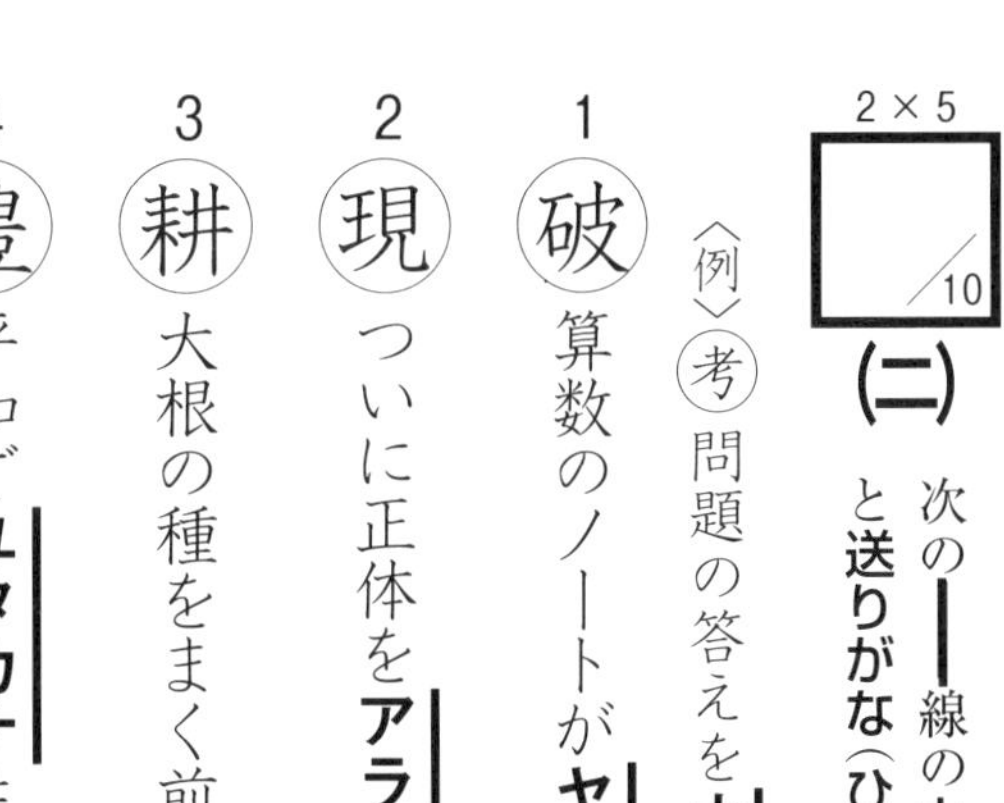

〈例〉(考)問題の答えを**カンガエル**。［考える］

1 (破)算数のノートが**ヤブレル**。

2 (現)ついに正体を**アラワス**。

3 (耕)大根の種をまく前に畑を**タガヤス**。

4 (豊)平和で**ユタカナ**生活をしている。

5 (再)**フタタビ**同じ失敗をしてしまった。

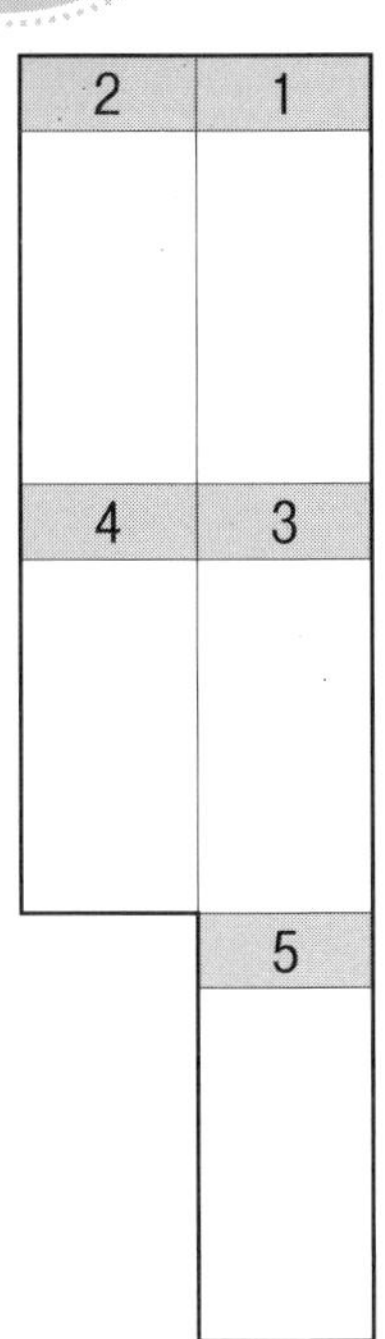

1×10　／10

(三)

次の漢字の**部首名**と**部首**を書きなさい。**部首名**は、後の□から選んで**記号**で答えなさい。

〈例〉引・強　(イ)〔弓〕
部首名　部首

	部首名	部首
告・史	(1)	〔2〕
管・築	(3)	〔4〕
採・技	(5)	〔6〕
額・領	(7)	〔8〕
護・謝	(9)	〔10〕

ア くち
イ ゆみへん
ウ きへん
エ おおがい
オ ごんべん
カ こがい
キ りっしんべん
ク てへん
ケ たけかんむり
コ かいへん

1×10

/10

(四)

次の漢字の**太い画**のところは**筆順の何画目**か、また**総画数は何画**か、**算用数字**(1、2、3…)で答えなさい。

〈例〉 右 何画目(2) 総画数(5)

漢字	何画目	総画数
際	(1)	(2)
在	(3)	(4)
罪	(5)	(6)
似	(7)	(8)
謝	(9)	(10)

1	2	3	4	5	6	7	8	9	10

2×10

/20

(五)

漢字を二字組み合わせたじゅく語では、二つの漢字の間に意味の上で、次のような関係があります。

ア 反対や対(つい)になる意味の字を組み合わせたもの。 (例…**強弱**)

イ 同じような意味の字を組み合わせたもの。 (例…**進行**)

ウ 上の字が下の字の意味を説明(修飾(しょく))しているもの。 (例…**直線**)

エ 下の字から上の字へ返って読むと意味がよくわかるもの。 (例…**開会**)

次の**じゅく語**は、右のア～エのどれにあたるか、**記号**で答えなさい。

1 解禁( ) 2 音訓( ) 3 眼目( )

4 両親( ) 5 基幹( ) 6 国境( )

7 転居( ) 8 新旧( ) 9 音信( )

10 均等( )

(六)

2×10　/20

次の**カタカナ**を**漢字**になおし、**一字だけ**書きなさい。

1 高気**アツ**

2 **エイ**業部

3 気**ショウ**台

4 **カ**能性

5 大**ボウ**落

6 **イ**転先

7 守**エイ**室

8 **オウ**接間

9 共**エン**者

10 **コウ**空機

2	1
4	3
6	5
8	7
10	9

(七)

2×10　/20

後の□の中のひらがなを漢字になおして、**対義語**（意味が反対や対（つい）になることば）と、**類義語**（意味がよくにたことば）を書きなさい。□の中のひらがなは**一度だけ**使い、**漢字一字**を書きなさい。

対義語

合唱―（1）唱

未来―（2）去

例外―原（3）

結果―原（4）

原料―（5）品

類義語

同意―（6）成

入選―入（7）

使命―（8）務

内職―（9）職

特別―（10）別

いん　か　せい　そく　どく

かく　さん　しょう　にん　ふく

10	9	8	7	6	5	4	3	2	1

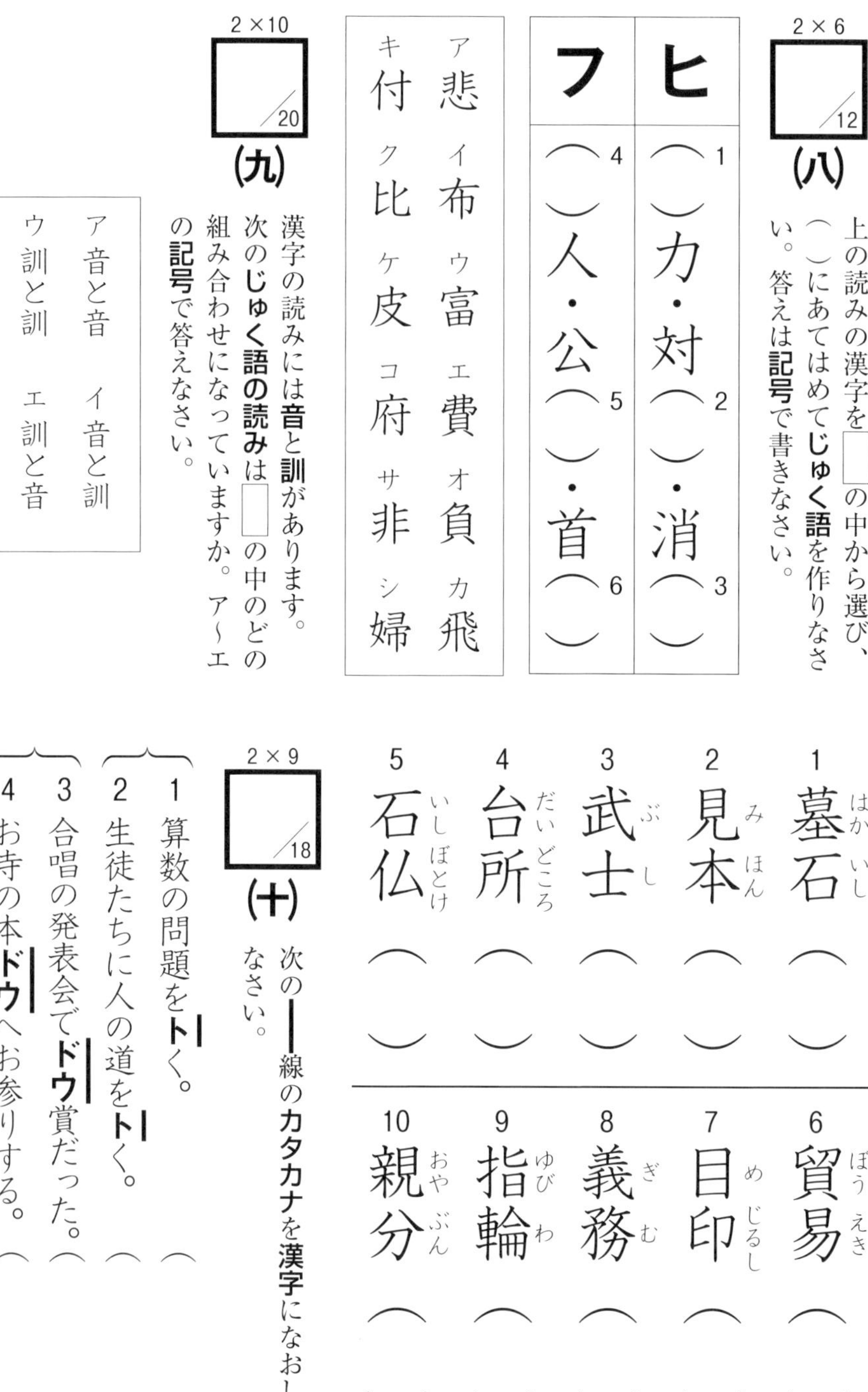

(八) 2×6 /12

上の読みの漢字を□の中から選び、(　)にあてはめて**じゅく語**を作りなさい。答えは**記号**で書きなさい。

ヒ

1(　)力・対2(　)・消3(　)

フ

4(　)人・公5(　)・首6(　)

ア 悲　イ 布　ウ 富　エ 費　オ 負　カ 飛
キ 付　ク 比　ケ 皮　コ 府　サ 非　シ 婦

(九) 2×10 /20

漢字の読みには**音**と**訓**があります。次の**じゅく語の読み**は□の中のどの組み合わせになっていますか。ア～エの**記号**で答えなさい。

ア 音と音　イ 音と訓
ウ 訓と訓　エ 訓と音

1 墓石(はかいし)(　)
2 見本(みほん)(　)
3 武士(ぶし)(　)
4 台所(だいどころ)(　)
5 石仏(いしぼとけ)(　)
6 貿易(ぼうえき)(　)
7 目印(めじるし)(　)
8 義務(ぎむ)(　)
9 指輪(ゆびわ)(　)
10 親分(おやぶん)(　)

(十) 2×9 /18

次の――線の**カタカナ**を**漢字**になおしなさい。

1 算数の問題を**ト**く。(　)
2 生徒たちに人の道を**ト**く。(　)

3 合唱の発表会で**ドウ**賞だった。(　)
4 お寺の本**ドウ**へお参りする。(　)

5 サッカーは**ダン**体競技である。（　　）
6 工事のため**ダン**水する。（　　）
7 海**テイ**火山が活動を始めた。（　　）
8 歌の音**テイ**がくるう。（　　）
9 宿題の作文を**テイ**出する。（　　）

2×20　/40

(十) 次の——線の**カタカナ**を**漢字**になおしなさい。

1 市役所の落成式に**ショウタイ**される。（　　）
2 親からの仕送りが**タ**える。（　　）
3 海辺で**サクラ**貝をひろった。（　　）
4 夜中に食べすぎて**ヒマン**になる。（　　）
5 ヘビには**ドク**をもつ種類もいる。（　　）
6 ルールを守らないと**ゲンテン**される。（　　）
7 野球部のおうえん団を**ソシキ**する。（　　）
8 本の値段（ねだん）を**タシ**かめてから買う。（　　）
9 台風の**セイリョク**が増す。（　　）
10 登山のために**ヨビ**の食料を持つ。（　　）
11 ガラスの**ヨウキ**におかしを入れる。（　　）
12 激（はげ）しいスポーツに体を**ナ**らす。（　　）
13 新しいビルを**ケンセツ**する。（　　）
14 見習いを**ヘ**て一人前（いちにんまえ）になる。（　　）
15 一学期より**セイセキ**があがった。（　　）
16 空中ブランコで**サカサマ**になる。（　　）
17 **モ**えにくいカーテンをかける。（　　）
18 心を**ユル**して何でも話す。（　　）
19 友達に本を**カ**してもらった。（　　）
20 三人**ヨ**ればもんじゅのちえ（　　）

6級

第5回★テスト（60分）

◇合計点◇

200点満点の（　　　点）

- 140点以上 合格
- 110点以上 合格まであと一歩
- 80点以上 さらに努力を

1×20　　/20

(一) 次の——線の**漢字の読み**を**ひらがな**で書きなさい。

1 世界各国の教育水準を比べる。（　　）
2 店頭に招きねこを置く。（　　）
3 運動場に順序よくならぶ。（　　）
4 母は腹（はら）八分を常としている。（　　）
5 外国に向けて貨物船が出航する。（　　）
6 実験で理論（ろん）を証明する。（　　）
7 テストができなくて情けない。（　　）
8 冬には厚手のくつ下をはく。（　　）
9 祖母の健康が気がかりだ。（　　）
10 話に自分の体験を織りこむ。（　　）
11 父の職業は地方公務員です。（　　）
12 半日の外出が許された。（　　）
13 朝から晩（ばん）まで仕事に精を出す。（　　）
14 お金を返せと責め立てる。（　　）
15 お店で特製ケーキを注文する。（　　）
16 勢い余って前につんのめる。（　　）
17 採用は過去の実績がものをいう。（　　）
18 町の観光案内所を駅に設ける。（　　）
19 相手と直接会って話す。（　　）
20 薬も過ぎれば毒となる（　　）

第5回

(二)

2×5　／10

次の▌線のカタカナを○の中の漢字と送りがな（ひらがな）で書きなさい。

〈例〉(考) 問題の答えを**カンガエル**。　考える

1 (務) その仕事が自分に**ツトマル**か心配だ。

2 (志) 人命を救う医学の道を**ココロザス**。

3 (導) お客様を客間に**ミチビク**。

4 (易) **ヤサシイ**計算問題をやってみる。

5 (迷) 知らない町で道に**マヨウ**。

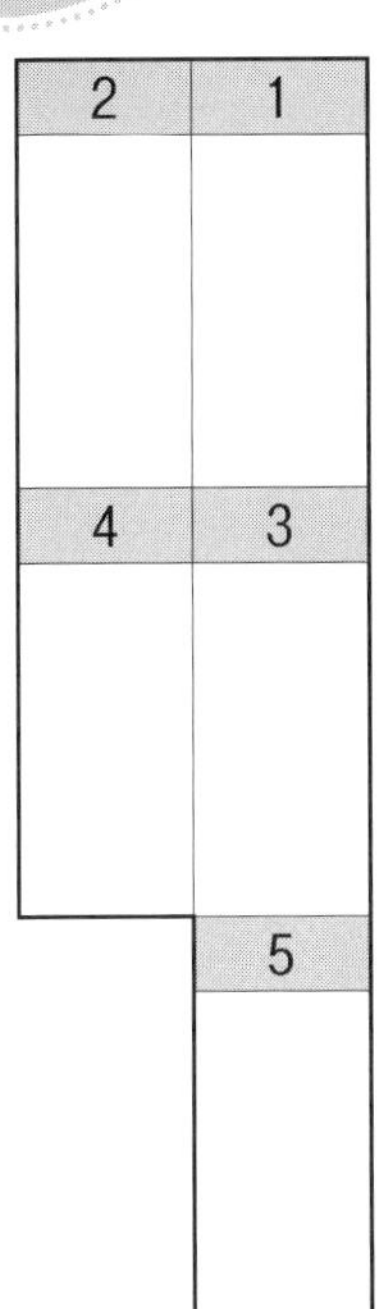

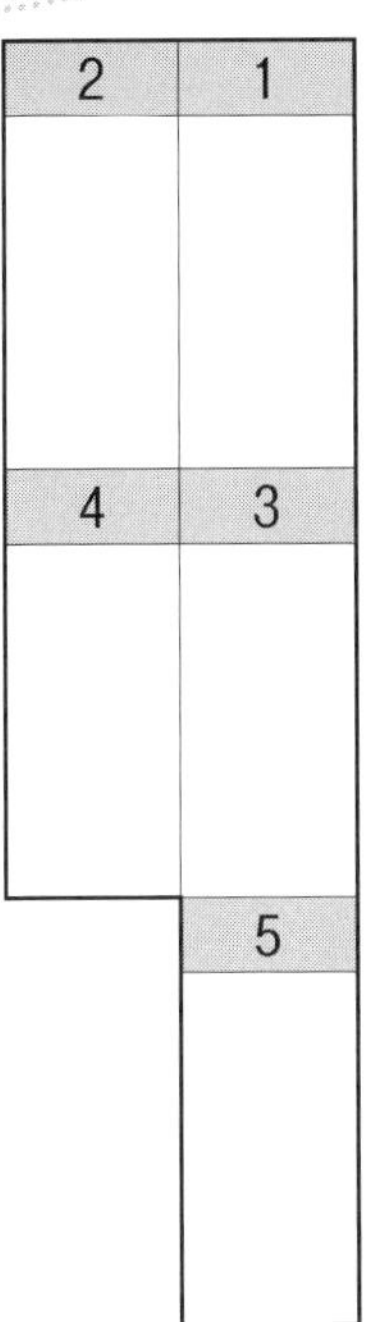

(三)

1×10　／10

次の漢字の**部首名**と**部首**を、後の［　］から選んで**記号**で答えなさい。

〈例〉引・強　（イ）〔弓〕
　　　　　　部首名　部首

	部首名	部首
接・採	（1）	〔2〕
祝・祖	（3）	〔4〕
河・潔	（5）	〔6〕
布・師	（7）	〔8〕
基・在	（9）	〔10〕

ア にすい
イ ゆみへん
ウ つち
エ しめすへん
オ さんずい
カ わかんむり
キ てへん
ク はば
ケ こがい
コ はこがまえ

1	2
3	4
5	6
7	8
9	10

1×10

/10

(四)

次の漢字の**太い**画のところは**筆順の何画目か**、また**総画数は何画か**、**算用数字**(1、2、3…)で答えなさい。

〈例〉右(2)〔5〕 何画目 総画数

	漢字	何画目	総画数
	再	(1)	〔2〕
	職	(3)	〔4〕
	制	(5)	〔6〕
	織	(7)	〔8〕
	勢	(9)	〔10〕

1	2	3	4	5	6	7	8	9	10

2×10

/20

(五)

漢字を二字組み合わせたじゅく語では、二つの漢字の間に意味の上で、次のような関係があります。

ア 反対や対(つい)になる意味の字を組み合わせたもの。(例…**強弱**)

イ 同じような意味の字を組み合わせたもの。(例…**進行**)

ウ 上の字が下の字の意味を説明(修飾(しょく))しているもの。(例…**直線**)

エ 下の字から上の字へ返って読むと意味がよくわかるもの。(例…**開会**)

次の**じゅく語**は、右のア〜エのどれにあたるか、**記号**で答えなさい。

1 左折( ) 2 夫妻( ) 3 護衛( )

4 永久( ) 5 先着( ) 6 災害( )

7 採光( ) 8 単複( ) 9 功罪( )

10 鉱石( )

第5回

2×10　／20

(六)

次の**カタカナ**を**漢字**になおし、**一字だけ**書きなさい。

1 **ケイ**験者

2 新**カン**書

3 **キ**格品

4 **キ**付金

5 **ギ**兄弟

6 平**キン**点

7 **ユ**出品

8 名文**ク**

9 **イ**酒屋

10 **キョウ**界線

1	2
3	4
5	6
7	8
9	10

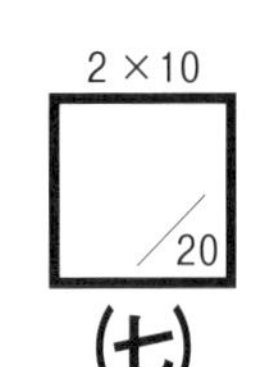

(七)

後の□の中のひらがなを漢字になおして、**対義語**（意味が反対や対（つい）になることば）と、**類義語**（意味がよくにたことば）を書きなさい。□の中のひらがなは**一度だけ**使い、**漢字一字**を書きなさい。

対義語

失意―（1）意

許可―（2）止

回答―（3）問

固体―（4）体

外交―内（5）

類義語

財産―（6）産

衛生―（7）健

農地―（8）地

様子―状（9）

着目―着（10）

えき　きん　しつ　せい　とく

がん　こう　し　たい　ほ

1	2	3	4	5	6	7	8	9	10

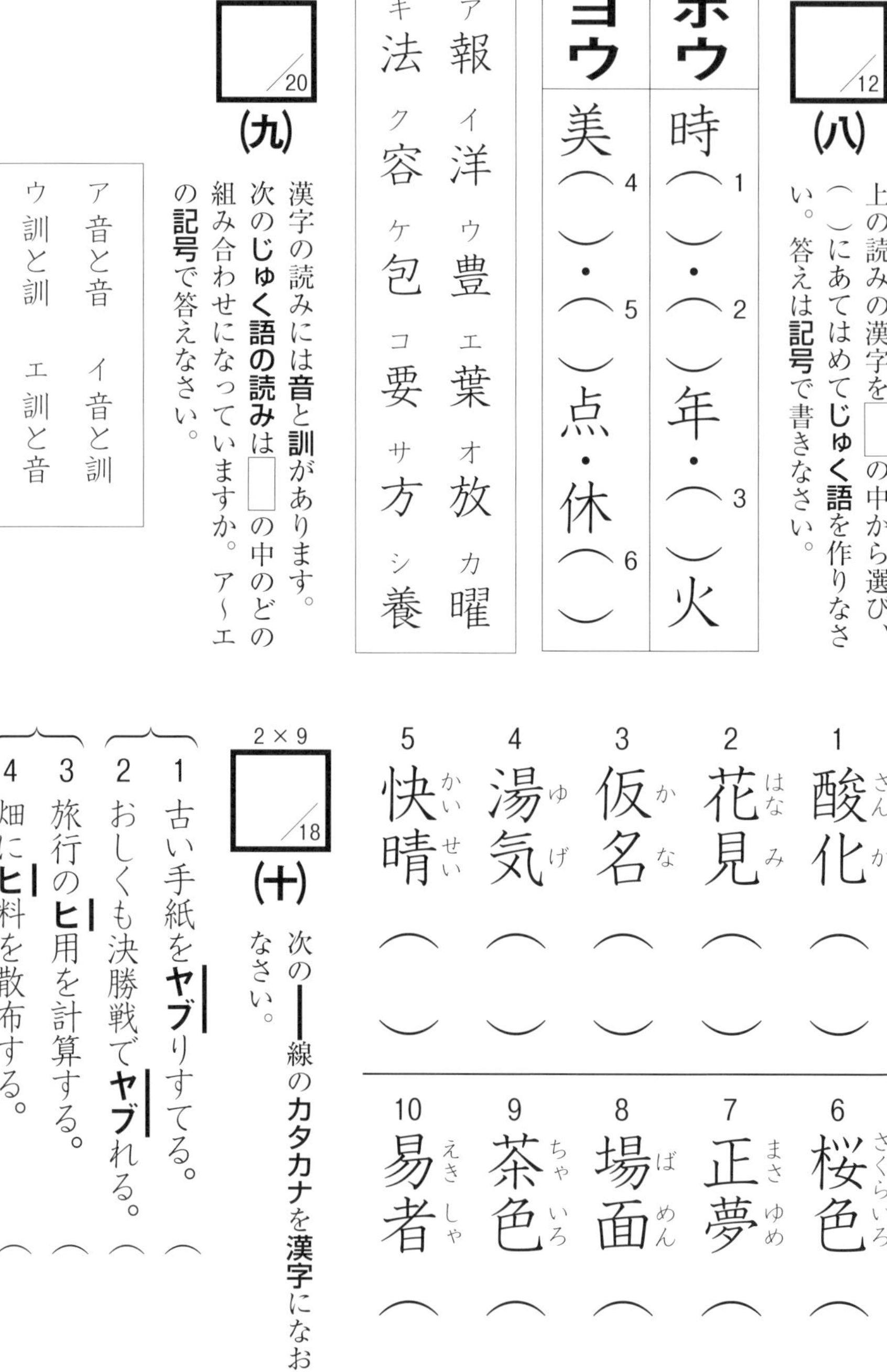

(八) 2×6 /12

上の読みの漢字を□の中から選び、(　)にあてはめて**じゅく語**を作りなさい。答えは**記号**で書きなさい。

ホウ
時(1　)・(2　)年・(3　)火

ヨウ
美(4　)・(5　)点・休(6　)

ア 報　イ 洋　ウ 豊　エ 葉　オ 放　カ 曜
キ 法　ク 容　ケ 包　コ 要　サ 方　シ 養

(九) 2×10 /20

漢字の読みには**音**と**訓**があります。次の**じゅく語の読み**は□の中のどの組み合わせになっていますか。ア〜エの**記号**で答えなさい。

ア 音と音　イ 音と訓
ウ 訓と訓　エ 訓と音

1 酸化(さんか)(　)
2 花見(はなみ)(　)
3 仮名(かな)(　)
4 湯気(ゆげ)(　)
5 快晴(かいせい)(　)
6 桜色(さくらいろ)(　)
7 正夢(まさゆめ)(　)
8 場面(ばめん)(　)
9 茶色(ちゃいろ)(　)
10 易者(えきしゃ)(　)

(十) 2×9 /18

次の——線の**カタカナ**を**漢字**になおしなさい。

1 古い手紙を**ヤブ**りすてる。(　)
2 おしくも決勝戦で**ヤブ**れる。(　)
3 旅行の**ヒ**用を計算する。(　)
4 畑に**ヒ**料を散布する。(　)

5 ゴールをビデオで**ハン**定する。（　）
6 図**ハン**の多い本を選んだ。（　）
7 むねに**ゾウ**花をかざる。（　）
8 この町は人口が急**ゾウ**している。（　）
9 初代市長の銅**ゾウ**ができた。（　）

(十) 次の——線の**カタカナ**を**漢字**になおしなさい。

2×20 ／40

1 北海道までの**リョヒ**を計算する。（　）
2 たんぽぽの**ワタ**毛を飛ばす。（　）
3 文章の一部を**ショウリャク**する。（　）
4 一夜にして池に氷が**ハ**る。（　）
5 台風で大**ソンガイ**を受ける。（　）
6 力の続く**カギ**りがんばります。（　）
7 二日後の集会を**テイアン**する。（　）
8 遠くまで小麦の**コウチ**が広がる。（　）
9 旅行に**テキトウ**な大きさのかばんを探（さが）す。（　）
10 大通りに店を**カマ**える。（　）
11 友達（だち）と**ヒタイ**を集めて相談する。（　）
12 毛糸で手ぶくろを**ア**んだ。（　）
13 気温の変化を**ソクテイ**する。（　）
14 母が帰るまで**ルス**番をした。（　）
15 花を持ってお**ハカ**参りに行く。（　）
16 くつの底がななめに**ヘ**る。（　）
17 約束を守ると**ダンゲン**する。（　）
18 山の**ケワ**しい坂道をのぼる。（　）
19 おじは一級**ケンチク**士です。（　）
20 **カ**い犬に手をかまれる（　）

6級

第6回★テスト（60分）

◇合計点◇

（200点満点の　　点）

● 140点以上 合格
● 110点以上 合格まであと一歩
● 80点以上 さらに努力を

1×20　／20

(一) 次の――線の**漢字の読み**を**ひらがな**で書きなさい。

1 姉とドラマの再放送を見る。（　）
2 火種を絶やさないようにする。（　）
3 素材を生かした料理をする。（　）
4 父は造り酒屋で働いている。（　）
5 結果は君の想像にまかせよう。（　）
6 自動車の速度がどんどん増す。（　）
7 反則にイエローカードが出た。（　）
8 湖の近くにテントを張る。（　）
9 努力して会社の土台を築く。（　）
10 大学の付属病院に入院する。（　）
11 修学旅行で生徒を率いる。（　）
12 だらしない生活態度を改める。（　）
13 買ってきたひき肉を団子にする。（　）
14 やさしそうなご婦人がいる。（　）
15 先週、議員総会が開かれた。（　）
16 親友に算数のノートを貸す。（　）
17 買った本は程度が高すぎた。（　）
18 姉が見合い話を断る。（　）
19 水薬を適量ずつ飲む。（　）
20 仏の顔も三度（　）

第6回

2×5 /10

(二) 次の──線のカタカナを○の中の漢字と送りがな(ひらがな)で書きなさい。

〈例〉㊀考 問題の答えを**カンガエル**。 考える

1 測 プールの水深を**ハカル**。

2 留 制服のボタンを**トメル**。

3 混 青と赤の絵の具を**マゼル**。

4 勢 破竹の**イキオイ**で勝ち進む。

5 設 桜の木の下に花見の席を**モウケル**。

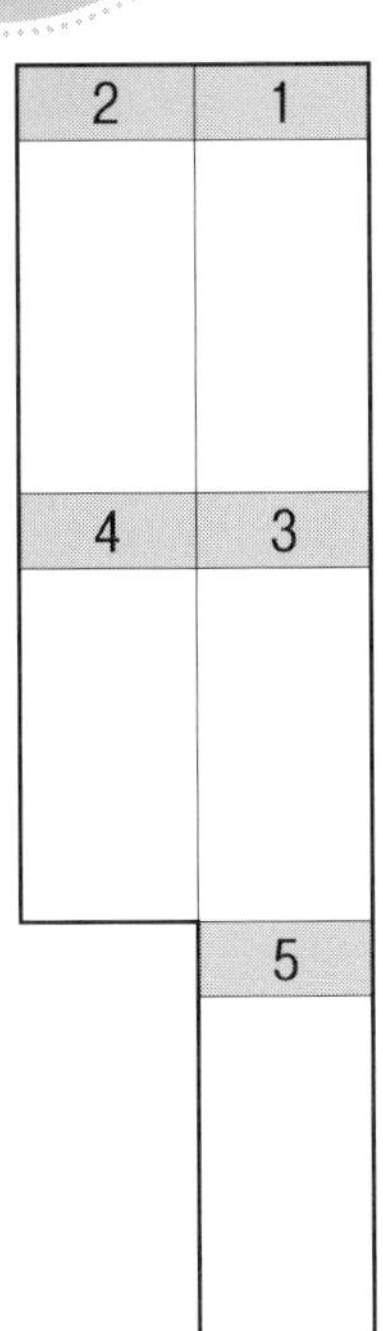

1×10 /10

(三) 次の漢字の**部首名**と**部首**を書きなさい。**部首名**は、後の□から選んで**記号**で答えなさい。

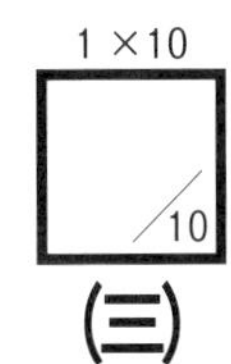

〈例〉引・強 部首名(イ) 部首〔弓〕

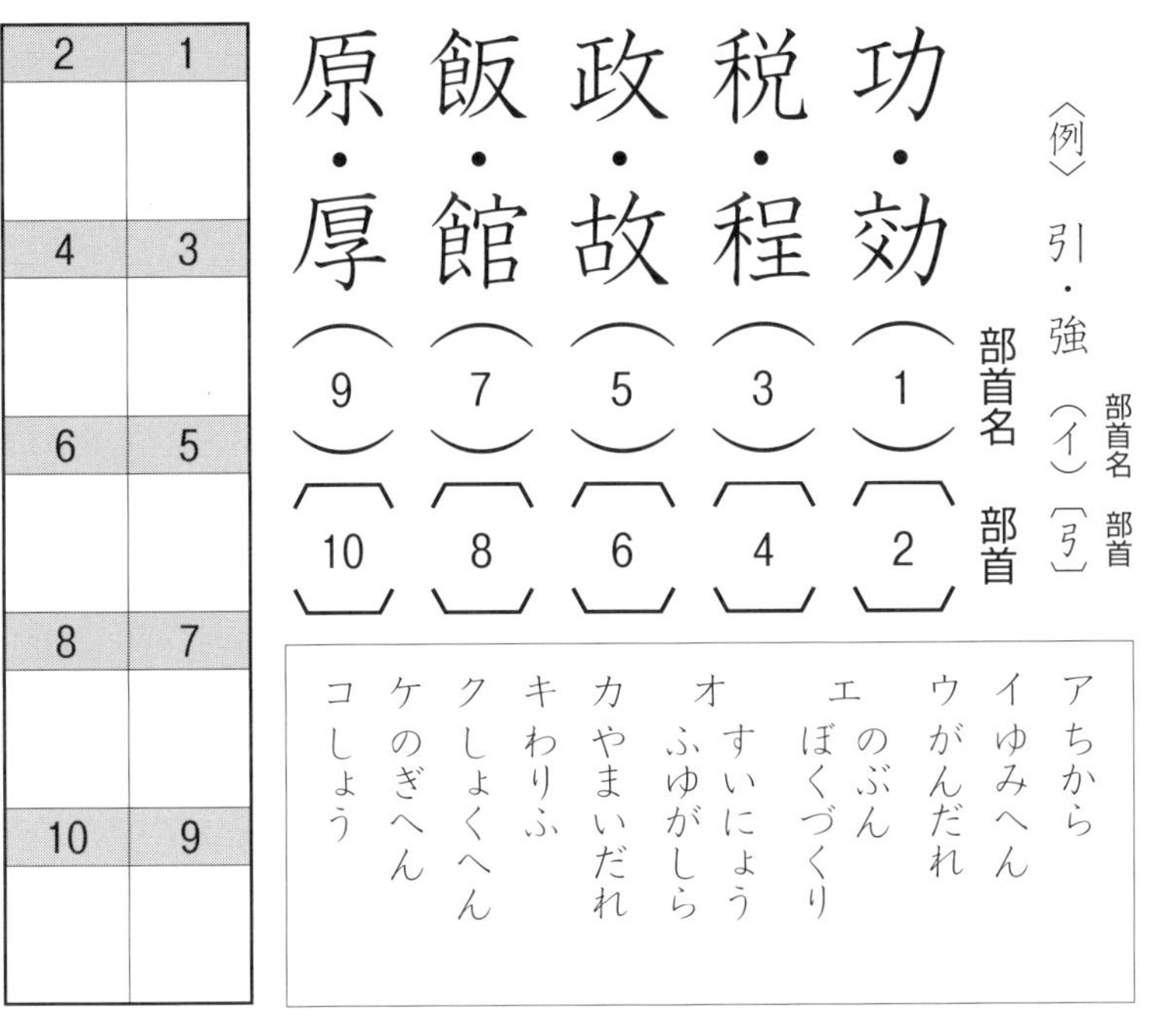

	部首名	部首
功・効	(1)	〔2〕
税・程	(3)	〔4〕
政・故	(5)	〔6〕
飯・館	(7)	〔8〕
原・厚	(9)	〔10〕

ア ちから
イ ゆみへん
ウ がんだれ
エ のぶん ぼくづくり
オ すいにょう ふゆがしら
カ やまいだれ
キ わりふ
ク しょくへん
ケ のぎへん
コ しょう

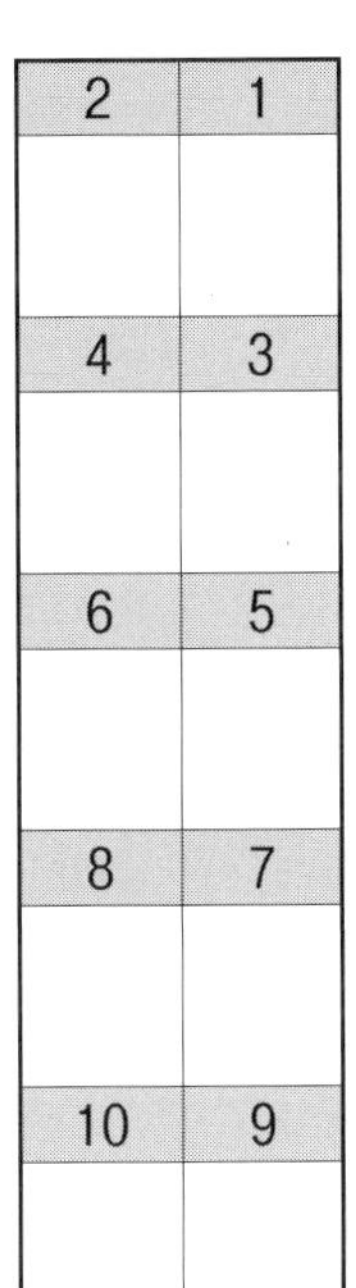

1×10

/10

(四)

次の漢字の**太い画**のところは**筆順の何画目**か、また**総画数は何画**か、**算用数字**(1、2、3…)で答えなさい。

〈例〉 右(2)(5)
何画目 総画数

	漢字	何画目	総画数
	絶	(1)	(2)
	毒	(3)	(4)
	像	(5)	(6)
	率	(7)	(8)
	張	(9)	(10)

1	2	3	4	5	6	7	8	9	10

2×10

/20

(五)

漢字を二字組み合わせたじゅく語では、二つの漢字の間に意味の上で、次のような関係があります。

ア 反対や対(つい)になる意味の字を組み合わせたもの。(例…**強弱**)

イ 同じような意味の字を組み合わせたもの。(例…**進行**)

ウ 上の字が下の字の意味を説明(修飾(しょく))しているもの。(例…**直線**)

エ 下の字から上の字へ返って読むと意味がよくわかるもの。(例…**開会**)

次の**じゅく語**は、右のア～エのどれにあたるか、**記号**で答えなさい。

1 質問( )
2 集散( )
3 財産( )
4 製氷( )
5 織物( )
6 授受( )
7 統合( )
8 税金( )
9 版画( )
10 在室( )

第6回

(六)

2×10 ／20

次の**カタカナ**を**漢字**になおし、**一字だけ**書きなさい。

1 日本**シ**

2 手加**ゲン**

3 **ヒ**公式

4 **サ**来年

5 **コウ**習会

6 **ゲン**代語

7 守**ゴ**神

8 大事**コ**

9 **ユメ**心地

10 **コウ**信所

1	2
3	4
5	6
7	8
9	10

(七)

2×10 ／20

後の□の中のひらがなを漢字になおして、**対義語**（意味が反対や対になることば）と、**類義語**（意味がよくにたことば）を書きなさい。□の中のひらがなは**一度だけ**使い、**漢字一字**を書きなさい。

対義語

公海—（1）海

正式—（2）式

往路—（3）路

子孫—（4）先

成功—失（5）

類義語

返事—（6）答

体験—（7）験

土台—（8）本

用意—（9）備

畑地—（10）地

そ　ぱい　ふく　りゃく　りょう

おう　き　けい　こう　じゅん

1	2	3	4	5	6	7	8	9	10

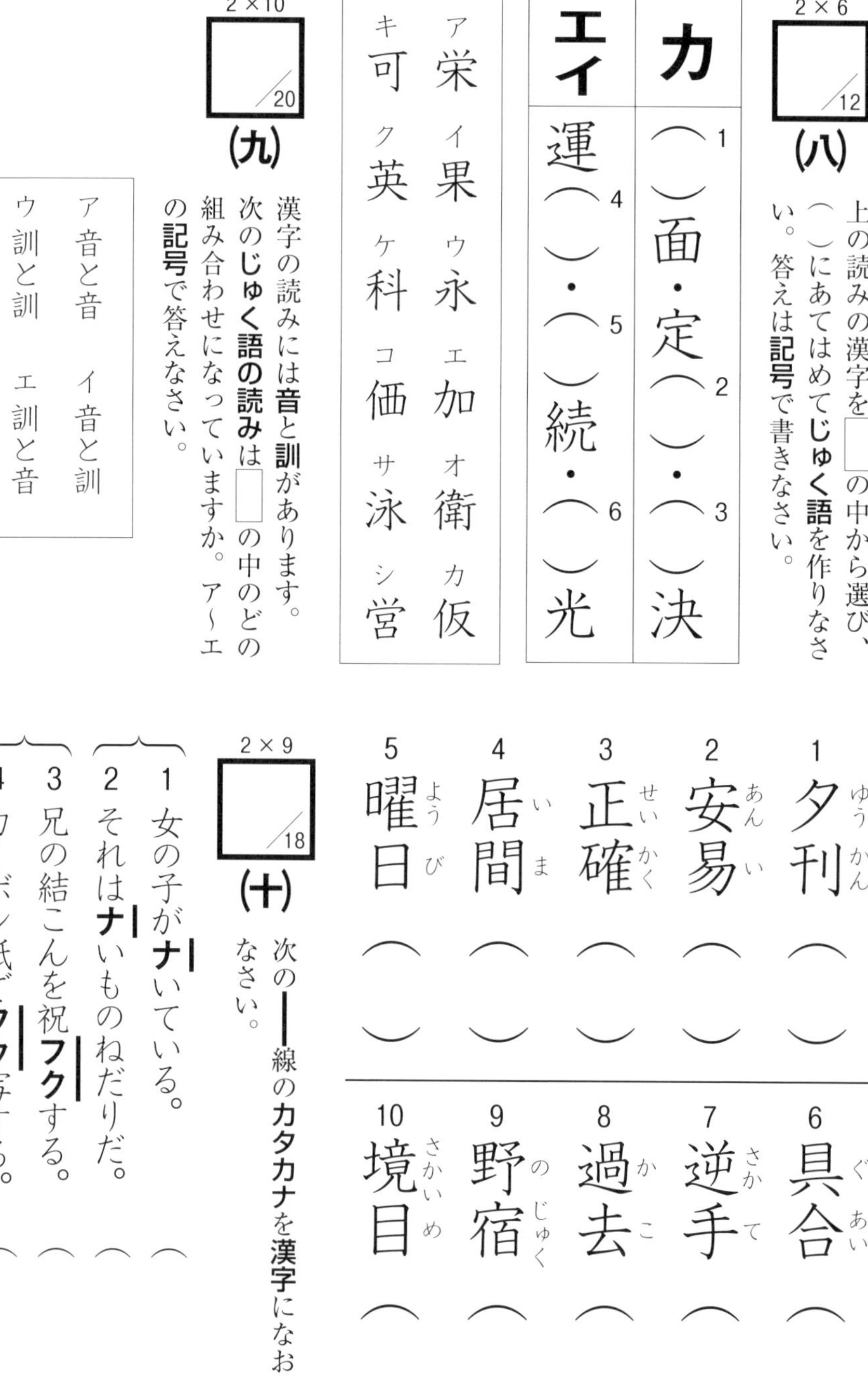

2×6　／12

(八) 上の読みの漢字を□の中から選び、（　）にあてはめて**じゅく語**を作りなさい。答えは**記号**で書きなさい。

カ	（1）面・定（2）・（3）決
エイ	運（4）・（5）続・（6）光

ア 栄　イ 果　ウ 永　エ 加　オ 衛　カ 仮
キ 可　ク 英　ケ 科　コ 価　サ 泳　シ 営

2×10　／20

(九) 漢字の読みには**音**と**訓**があります。次の**じゅく語の読み**は□の中のどの組み合わせになっていますか。ア～エの**記号**で答えなさい。

ア 音と音　イ 音と訓
ウ 訓と訓　エ 訓と音

1 夕刊（ゆうかん）（　）
2 安易（あんい）（　）
3 正確（せいかく）（　）
4 居間（いま）（　）
5 曜日（ようび）（　）
6 具合（ぐあい）（　）
7 逆手（さかて）（　）
8 過去（かこ）（　）
9 野宿（のじゅく）（　）
10 境目（さかいめ）（　）

2×9　／18

(十) 次の——線の**カタカナ**を**漢字**になおしなさい。

1 女の子が**ナ**いている。（　）
2 それは**ナ**いものねだりだ。（　）
3 兄の結こんを祝**フク**する。（　）
4 カーボン紙で**フク**写する。（　）

5 本の**ヨ**白にメモ書きをする。

6 冬休みに旅行の**ヨ**定を立てる。

7 希**ボウ**に燃えた青春を送る。

8 **ボウ**戦一方の試合になった。

9 ピストルが**ボウ**発する。

2×20　/40

(十) 次の——線の**カタカナ**を**漢字**になおしなさい。

1 あとはなりゆきに**マカ**せる。

2 遠くに**サンミャク**が見える。

3 製品の改良に情熱を**モ**やす。

4 奈良の大仏には**ドウ**が使われている。

5 マラソンの世界記録を**ヤブ**る。

6 家の**シュウイ**にへいを作った。

7 やせた土地を**コ**やす。

8 近所でよい**ヒョウバン**が立つ。

9 客室に冷蔵（ぞう）庫を**ソナ**えつける。

10 白と黒との**タイヒ**が美しい絵だ。

11 **マズ**しい生活からぬけだす。

12 最新の機械を**ドウニュウ**する。

13 おくれてきた仲間を**セ**める。

14 発表会で「海」を**ドクショウ**する。

15 梅の木の**エダ**を短くする。

16 校長先生から**ショウジョウ**を受け取る。

17 水そうで熱帯魚を**カ**う。

18 **モウフ**にくるまってねむる。

19 試験に**キジュツ**式の問題が出た。

20 雪は**ホウネン**のしるし

6級

第7回★テスト（60分）

◇合計点◇

200点満点の（　　　点）

- 140点以上　合格
- 110点以上　合格まであと一歩
- 80点以上　さらに努力を

1×20　／20

（一） 次の――線の**漢字の読み**を**ひらがな**で書きなさい。

1 学級委員の任期を終える。（　　）
2 庭のかれ葉を集めて燃やす。（　　）
3 県別に人口の統計を出す。（　　）
4 道具を使いこなす能力をもつ。（　　）
5 地下室に犯人を追いつめる。（　　）
6 独り暮（ぐ）らしの老人が多い。（　　）
7 若くして富と名声を得る。（　　）
8 障子（しょうじ）の破れ目からのぞく。（　　）
9 有名人の伝記を出版する。（　　）
10 かぜ薬が効いてよくねむれた。（　　）
11 ホテルの非常ベルが鳴る。（　　）
12 役者は経験を芸の肥やしにする。（　　）
13 わさびの品評会に出展（てん）する。（　　）
14 心技体が備わった力士だ。（　　）
15 油絵の講習会に参加した。（　　）
16 神社は森に囲まれている。（　　）
17 神父に自分の罪を告白した。（　　）
18 ごわごわした布地の上着だ。（　　）
19 車の数に比例して事故がふえる。（　　）
20 ねこに小判（　　）

第7回

2×5 /10

(二)

次の――線のカタカナを**○の中の漢字と送りがな（ひらがな）**で書きなさい。

〈例〉㊂考 問題の答えを**カンガエル**。 考える

1 ㊂増 大雨で川の水が**フエル**。

2 ㊂修 大学でフランス語を**オサメル**。

3 ㊂喜 一等賞を取りとても**ヨロコブ**。

4 ㊂久 音信がとだえてから**ヒサシイ**。

5 ㊂率 隊長が大部隊を**ヒキイル**。

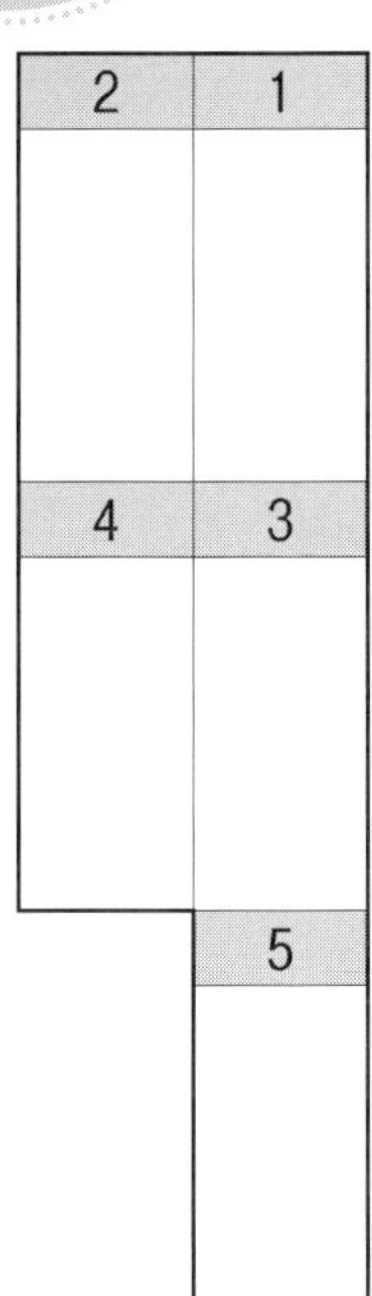

2	1
4	3
	5

1×10 /10

(三)

次の漢字の**部首名**と**部首**を書きなさい。**部首名**は、後の□から選んで**記号**で答えなさい。

〈例〉引・強 部首名（イ） 部首〔弓〕

	部首名	部首
徒・往	（1）	〔2〕
念・応	（3）	〔4〕
脈・肥	（5）	〔6〕
録・銅	（7）	〔8〕
独・犯	（9）	〔10〕

ア つきへん
イ ゆみへん
ウ にんべん
エ にくづき
オ かくしがまえ
カ かねへん
キ ぎょうにんべん
ク こころ
ケ けものへん
コ つつみがまえ

2	1
4	3
6	5
8	7
10	9

1×10

/10

(四)

次の漢字の**太い画**のところは**筆順の何画目か**、また**総画数は何画か**、**算用数字**（1、2、3…）で答えなさい。

〈例〉右（2）（5）
何画目　総画数

	何画目	総画数
燃	（1）	（2）
布	（3）	（4）
備	（5）	（6）
非	（7）	（8）
独	（9）	（10）

1	2	3	4	5	6	7	8	9	10

2×10

/20

(五)

漢字を二字組み合わせたじゅく語では、二つの漢字の間に意味の上で、次のような関係があります。

ア　反対や対(つい)になる意味の字を組み合わせたもの。（例…**強弱**）

イ　同じような意味の字を組み合わせたもの。（例…**進行**）

ウ　上の字が下の字の意味を説明(修飾(しょく))しているもの。（例…**直線**）

エ　下の字から上の字へ返って読むと意味がよくわかるもの。（例…**開会**）

次の**じゅく語**は、右のア～エのどれにあたるか、**記号**で答えなさい。

1　勝負（　）
2　順序（　）
3　招集（　）
4　求職（　）
5　祝賀（　）
6　検査（　）
7　加熱（　）
8　仮説（　）
9　急病（　）
10　増減（　）

第7回

(六)

2×10　/20

次の**カタカナ**を**漢字**になおし、**一字だけ**書きなさい。

1 **ザイ**庫品
2 軽犯**ザイ**
3 **ゾウ**木林
4 実**シツ**的
5 **シ**配人

6 文化**ザイ**
7 **ジュ**賞式
8 **シャ**礼金
9 **ゼツ**望的
10 手**ジュツ**室

2	1
4	3
6	5
8	7
10	9

(七)

2×10　/20

後の□の中のひらがなを漢字になおして、**対義語**（意味が反対や対になることば）と、**類義語**（意味がよくにたことば）を書きなさい。□の中のひらがなは**一度だけ**使い、**漢字一字**を書きなさい。

対義語

順境―（1）境
苦手―（2）意
任意―強（3）
形式―内（4）
損失―利（5）

類義語

平等―（6）等
定住―（7）住
動機―原（8）
責務―（9）務
関心―（10）味

えき　ぎゃっ　せい　とく　よう

いん　えい　ぎ　きょう　きん

10	9	8	7	6	5	4	3	2	1

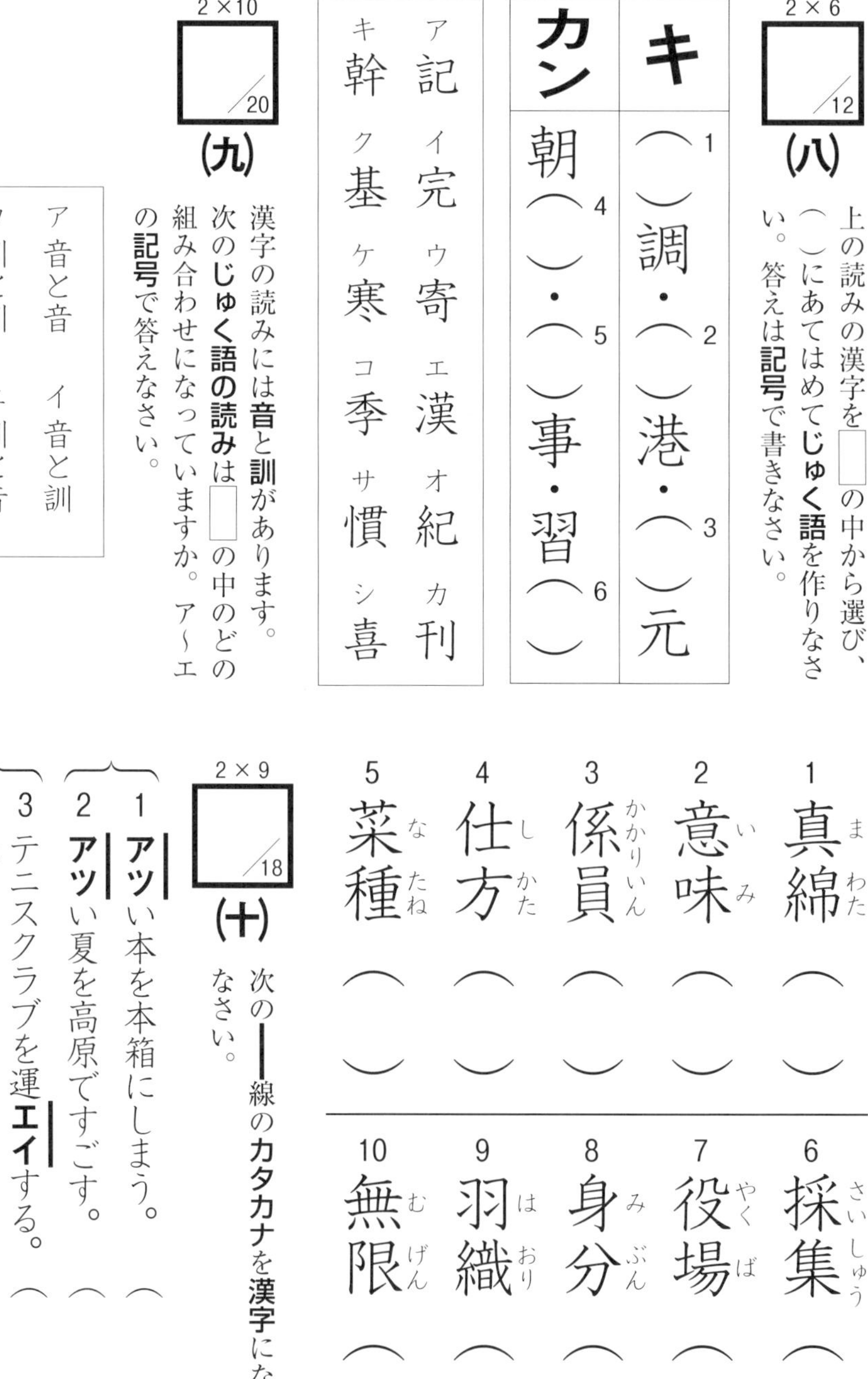

（八）　2×6　／12

上の読みの漢字を□の中から選び、（　）にあてはめてじゅく語を作りなさい。答えは記号で書きなさい。

キ　1（　）調・2（　）港・3（　）元

カン　朝4（　）・5（　）事・習6（　）

ア 記　イ 完　ウ 寄　エ 漢　オ 紀　カ 刊
キ 幹　ク 基　ケ 寒　コ 季　サ 慣　シ 喜

（九）　2×10　／20

漢字の読みには音と訓があります。次のじゅく語の読みは□の中のどの組み合わせになっていますか。ア～エの記号で答えなさい。

ア 音と音　イ 音と訓
ウ 訓と訓　エ 訓と音

1 真綿（まわた）（　）
2 意味（いみ）（　）
3 係員（かかりいん）（　）
4 仕方（しかた）（　）
5 菜種（なたね）（　）
6 採集（さいしゅう）（　）
7 役場（やくば）（　）
8 身分（みぶん）（　）
9 羽織（はおり）（　）
10 無限（むげん）（　）

（十）　2×9　／18

次の——線のカタカナを漢字になおしなさい。

1 **アツ**い本を本箱にしまう。（　）
2 **アツ**い夏を高原ですごす。（　）
3 テニスクラブを運**エイ**する。（　）
4 映画（えい）を**エイ**星放送で見る。（　）

5 本を定**カ**より安く買う。（　　）
6 何本もの**カ**川が海に流れる。（　　）
7 **キュウ**急車が家の前に止まった。（　　）
8 **キュウ**根の観察をする。（　　）
9 永**キュウ**歯が順に生え変わる。（　　）

(十) 2×20 /40
次の——線の**カタカナ**を**漢字**になおしなさい。

1 野菜に農薬が**ザンリュウ**する。（　　）
2 前と後の説明が**チョウフク**する。（　　）
3 姉の横顔はだれかに**ニ**ている。（　　）
4 毎日息子の**ベントウ**をつくる。（　　）
5 伝染(せん)病の広がりを**フセ**ぐ。（　　）
6 世界の各国と**ボウエキ**する。（　　）
7 弟の目に**アマ**る行動をしかる。（　　）
8 相手を見て**ムシャ**ぶるいする。（　　）
9 かくれんぼで息を**コロ**してかくれる。（　　）
10 大学三年次に**ヘンニュウ**する。（　　）
11 手品師は**ツネ**に新しい種を考えている。（　　）
12 ヒヨコのかごを**ホオン**する。（　　）
13 **オオガタ**トラックが走っている。（　　）
14 今年は全国で米が**ホウサク**だ。（　　）
15 **アツリョク**なべで料理する。（　　）
16 時間が**ユル**せば立ち寄る。（　　）
17 **キュウシキ**の自動車にも味がある。（　　）
18 **ココロザシ**を高く持とう。（　　）
19 仲なおりの機会を**モウ**ける。（　　）
20 **ホトケ**作ってたましい入れず（　　）

6級 第8回★テスト（60分）

◇合計点◇

（200点満点の　　点）

- 140点以上 合格
- 110点以上 合格まであと一歩
- 80点以上 さらに努力を

1×20　　/20

（一）次の――線の**漢字の読み**を**ひらがな**で書きなさい。

1 ししゅうで布に花模様を編み出す。（　）
2 殺人事件の犯人をつかまえた。（　）
3 先祖がねむる墓に手を合わせる。（　）
4 博物館に大昔の家を復元する。（　）
5 夢うつつに小鳥の声を聞く。（　）
6 姉が保育士の資格を取る。（　）
7 心の豊かな人にあこがれる。（　）
8 会長に参加人数を報告する。（　）
9 心の迷いを友人に明かす。（　）
10 青と白の絵の具を混ぜる。（　）
11 良識をもって行動する。（　）
12 市場に輸入品が多く出回る。（　）
13 河原でバーベキューを楽しむ。（　）
14 着眼点がよいとほめられた。（　）
15 本の著者の略歴を見る。（　）
16 協力して話し合いを有利に導く。（　）
17 すぐにゲームの要領を飲みこむ。（　）
18 カバンの留め金をはずす。（　）
19 人員集めが目下の急務だ。（　）
20 真綿で首をしめる（　）

2×5 /10

(二)

次の――線のカタカナを○の中の漢字と送りがな(ひらがな)で書きなさい。

〈例〉(考)問題の答えをカンガエル。[考える]

1 (比) 両チームの戦力を細かくクラベル。

2 (支) 太い柱が屋根をササエル。

3 (易) 今日の漢字のテストはヤサシイ。

4 (貧) マズシイ心の持ち主にはなりたくない。

5 (備) 新築の家に家具をソナエル。

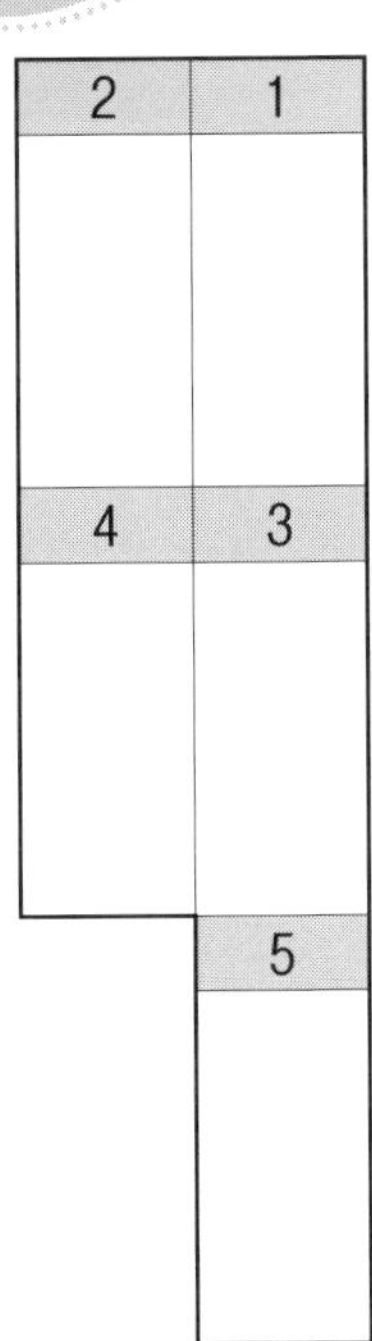

1×10 /10

(三)

次の漢字の部首名と部首を書きなさい。部首名は、後の□から選んで記号で答えなさい。

〈例〉引・強 部首名(イ) 部首〔弓〕

	部首名	部首
護・謝	(1)	〔2〕
得・往	(3)	〔4〕
貯・財	(5)	〔6〕
刷・刊	(7)	〔8〕
局・居	(9)	〔10〕

ア かばね しかばね
イ ゆみへん
ウ ぎょうにんべん
エ ごんべん
オ とます
カ にんべん
キ りっとう
ク かいへん
ケ るまた ほこづくり
コ ぎょうがまえ ゆきがまえ

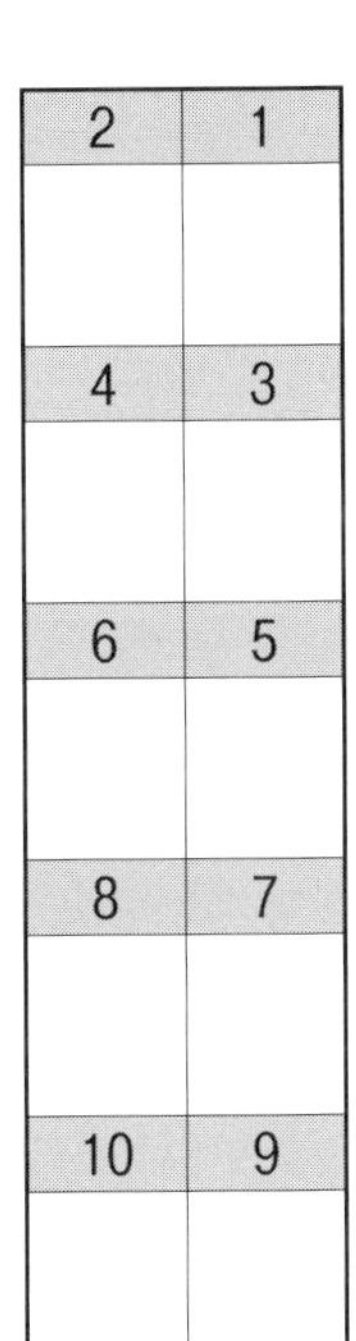

1×10

/10

(四)

次の漢字の**太い画**のところは**筆順の何画目か**、また**総画数は何画か**、**算用数字**（1、2、3…）で答えなさい。

〈例〉右（2）〔5〕
何画目　総画数

	何画目	総画数
編	（1）	〔2〕
防	（3）	〔4〕
武	（5）	〔6〕
弁	（7）	〔8〕
報	（9）	〔10〕

1	2	3	4	5	6	7	8	9	10

2×10

/20

(五)

漢字を二字組み合わせたじゅく語では、二つの漢字の間に意味の上で、次のような関係があります。

ア 反対や対（つい）になる意味の字を組み合わせたもの。（例…**強弱**）

イ 同じような意味の字を組み合わせたもの。（例…**進行**）

ウ 上の字が下の字の意味を説明（修飾（しょく））しているもの。（例…**直線**）

エ 下の字から上の字へ返って読むと意味がよくわかるもの。（例…**開会**）

次の**じゅく語**は、右のア～エのどれにあたるか、**記号**で答えなさい。

1 清流（　）　2 移転（　）　3 断続（　）

4 在庫（　）　5 採血（　）　6 包囲（　）

7 祝電（　）　8 豊富（　）　9 素質（　）

10 予測（　）

第8回

(六)

2×10 ／20

次の**カタカナ**を**漢字**になおし、**一字だけ**書きなさい。

1 競**ギ**場
2 **ショウ**言台
3 標**ジュン**語
4 安全**セイ**
5 鉄**コウ**石
6 **ショク**員室
7 新**セイ**品
8 人**ジョウ**話
9 **ショウ**待状
10 平**ジョウ**心

1	2
3	4
5	6
7	8
9	10

(七)

2×10 ／20

後の□の中のひらがなを漢字になおして、**対義語**（意味が反対や対（つい）になることば）と、**類義語**（意味がよくにたことば）を書きなさい。□の中のひらがなは**一度だけ**使い、**漢字一字**を書きなさい。

対義語

希望―（1）望
受賞―（2）賞
切断―（3）続
当番―（4）番
放任―（5）制

類義語

改正―（6）正
結束―（7）結
交易―（8）易
発行―出（9）
人気―評（10）

き　じゅ　せつ　ぜつ　ひ

しゅう　だん　ばん　ぱん　ぼう

1	2	3	4	5	6	7	8	9	10

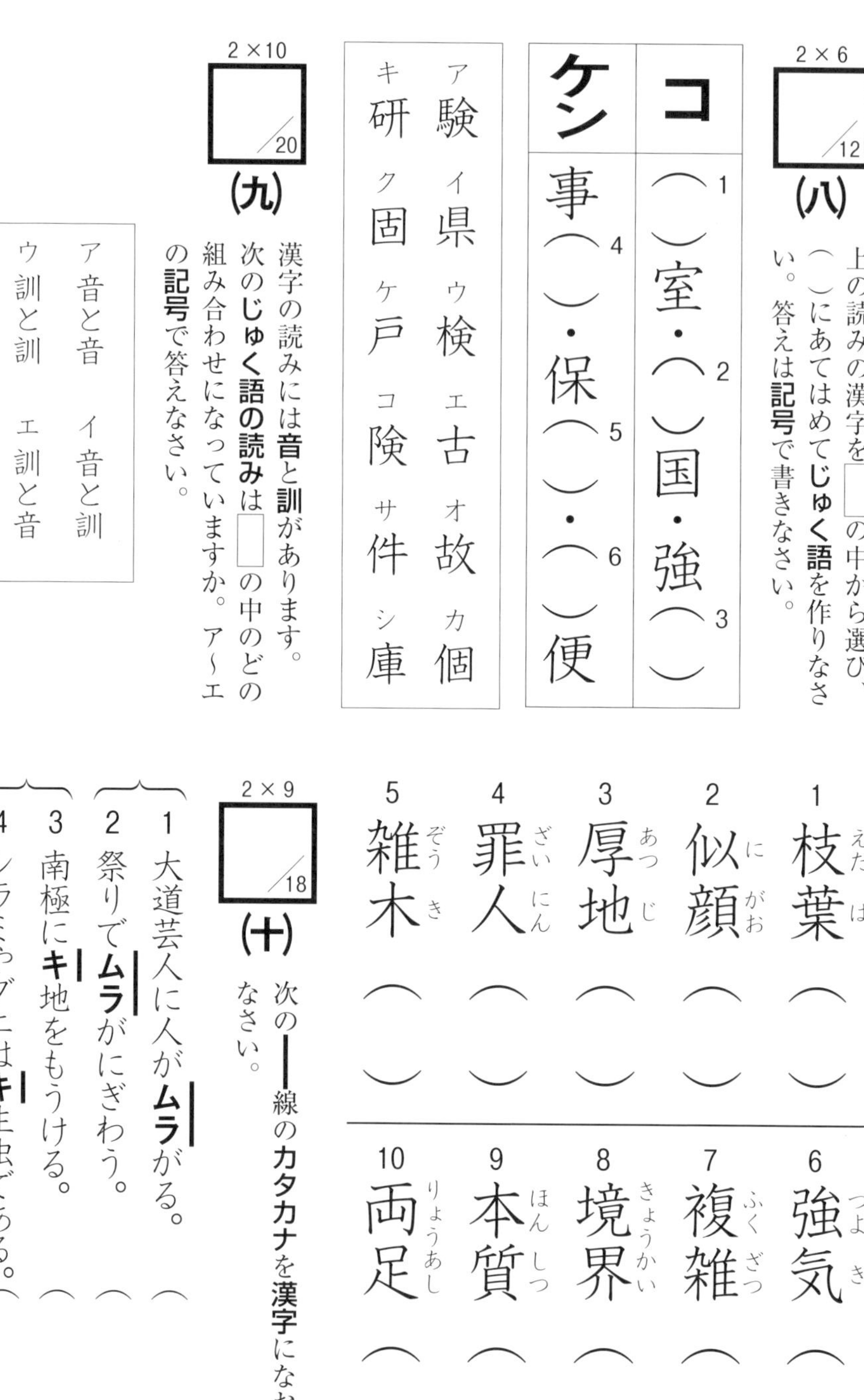

2×6 ／12

(八) 上の読みの漢字を□の中から選び、( )にあてはめて**じゅく語**を作りなさい。答えは**記号**で書きなさい。

コ	**ケン**
1( )室・2( )国・強3( )	事4( )・保5( )・6( )便

ア 験　イ 県　ウ 検　エ 古　オ 故　カ 個
キ 研　ク 固　ケ 戸　コ 険　サ 件　シ 庫

2×10 ／20

(九) 漢字の読みには**音**と**訓**があります。次の**じゅく語の読み**は□の中のどの組み合わせになっていますか。ア〜エの**記号**で答えなさい。

ア 音と音　イ 音と訓
ウ 訓と訓　エ 訓と音

1 枝葉(えだは)( )
2 似顔(にがお)( )
3 厚地(あつじ)( )
4 罪人(ざいにん)( )
5 雑木(ぞうき)( )

6 強気(つよき)( )
7 複雑(ふくざつ)( )
8 境界(きょうかい)( )
9 本質(ほんしつ)( )
10 両足(りょうあし)( )

2×9 ／18

(十) 次の——線の**カタカナ**を**漢字**になおしなさい。

1 大道芸人に人が**ムラ**がる。( )
2 祭りで**ムラ**がにぎわう。( )
3 南極に**キ**地をもうける。( )
4 シラミやダニは**キ**生虫である。( )

5 何事も油断は**キン**物である。（　　）
6 百円**キン**一の布を買う。（　　）
7 古くからの**カン**習にしたがう。（　　）
8 新年会の**カン**事を引き受ける。（　　）
9 参**カン**日には父が来てくれた。（　　）

(十)

2×20 　/40

次の――線の**カタカナ**を**漢字**になおしなさい。

1 銀行窓口の**オウタイ**が親切だ。（　　）
2 計算が合っているか**タシ**かめる。（　　）
3 薬が**キ**いて痛(いた)みがやわらぐ。（　　）
4 大事なところを見**ス**ごす。（　　）
5 外国の**レキシ**を勉強する。（　　）
6 写真の**コウズ**をきめる。（　　）
7 **エイゾク**できる制度を考える。（　　）
8 決勝戦で自ら先発を**シガン**する。（　　）
9 二十四時間**エイギョウ**の店が減った。（　　）
10 水泳の練習時間を**フ**やす。（　　）
11 父は高校の体育**キョウシ**だ。（　　）
12 大家族を**ヒキ**いて外食に行く。（　　）
13 時計が正午を**シメ**している。（　　）
14 するどい**キンゾク**音を耳にした。（　　）
15 五月の**セック**にこいのぼりを立てる。（　　）
16 畑を**タガヤ**して野菜を作る。（　　）
17 今日に**カギ**ってねぼうしてしまった。（　　）
18 となりの国と**ジョウヤク**を結ぶ。（　　）
19 うそをついて他人に**ツミ**を着せる。（　　）
20 **アマ**り物には福がある（　　）

6級

第9回★テスト（60分）

◇合計点◇

（200点満点の　点）

- 140点以上 合格
- 110点以上 合格まであと一歩
- 80点以上 さらに努力を

1×20　／20

(一) 次の――線の**漢字の読み**を**ひらがな**で書きなさい。

1 規則正しい生活を心がける。（　）
2 目の前に急に熊が現れる。（　）
3 各国で燃料電池の開発が進む。（　）
4 さすがに罪の意識を感じる。（　）
5 社会の授業で日本の歴史を学んだ。（　）
6 学期末に学力考査を受ける。（　）
7 昔は牛馬で畑を耕していた。（　）
8 この本は新聞で絶賛された。（　）
9 父の会社は市内に在る。（　）
10 校長先生が賞状を手渡す。（　）
11 今月はこづかいが余った。（　）
12 ぼくは天体に興味がある。（　）
13 生徒を率いて工場見学に行く。（　）
14 険しい山道をやっとこえる。（　）
15 友達と久しぶりに旅に出る。（　）
16 会の代表者が謝辞をのべた。（　）
17 銅線をつなぎ電流を通す。（　）
18 店に寄って買い物をする。（　）
19 今回の水害は明らかに人災だ。（　）
20 運を天に任せる（　）

第9回

(二)

2×5　／10

次の——線のカタカナを○の中の漢字と送りがな（ひらがな）で書きなさい。

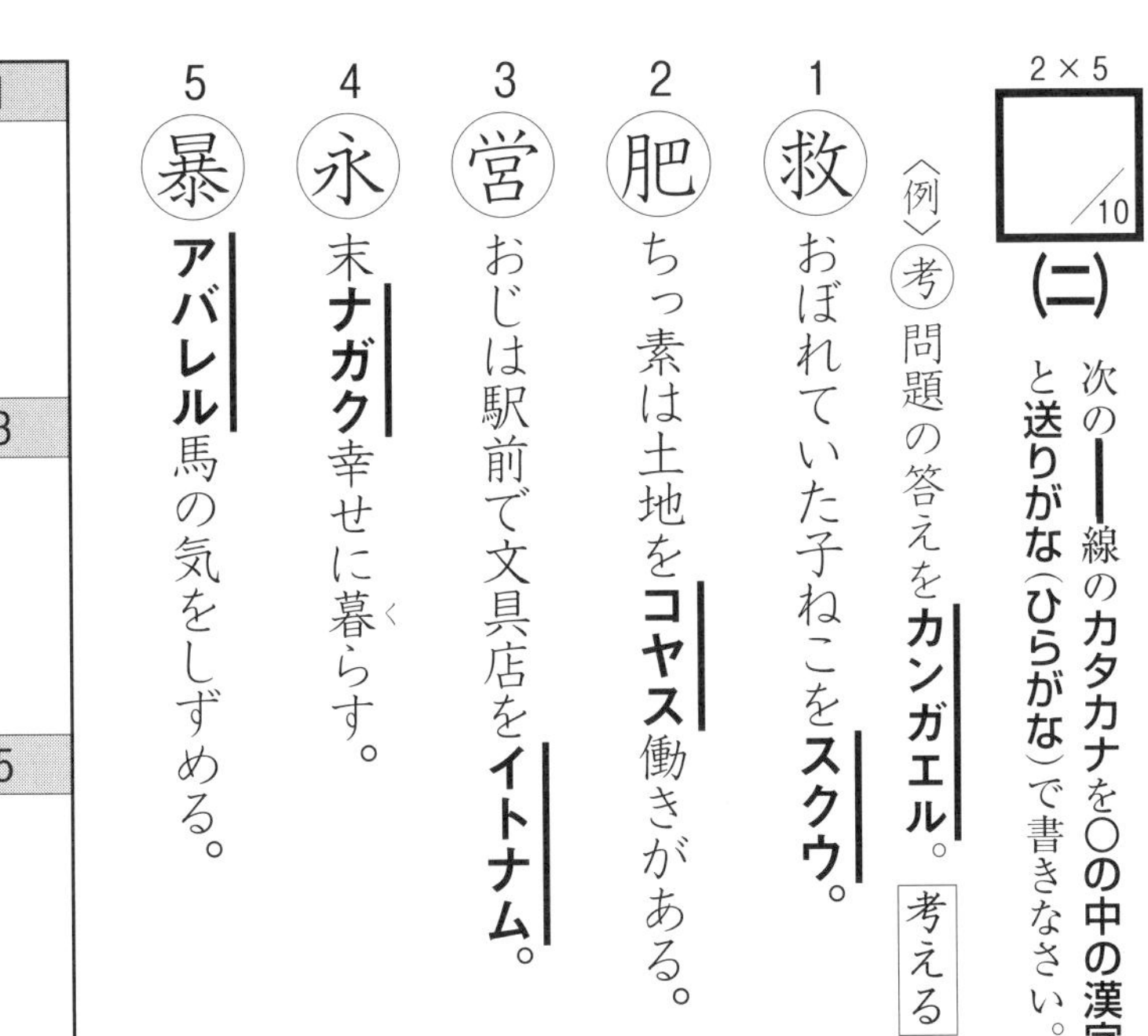

〈例〉（考）問題の答えを**カンガエル**。［考える］

1 （救）おぼれていた子ねこを**スクウ**。

2 （肥）ちっ素は土地を**コヤス**働きがある。

3 （営）おじは駅前で文具店を**イトナム**。

4 （永）末**ナガク**幸せに暮らす。

5 （暴）**アバレル**馬の気をしずめる。

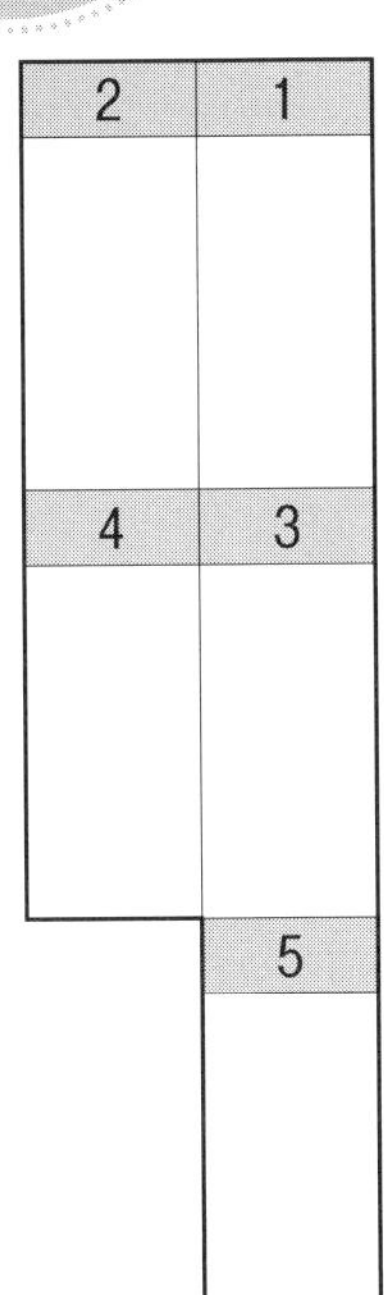

1	2
3	4
5	

(三)

1×10　／10

次の漢字の**部首名**と**部首**を書きなさい。**部首名**は、後の□から選んで**記号**で答えなさい。

〈例〉引・強　部首名（イ）　部首〔弓〕

	部首名	部首
圧・報	（1）	〔2〕
粉・精	（3）	〔4〕
属・局	（5）	〔6〕
可・句	（7）	〔8〕
灯・燃	（9）	〔10〕

ア　くち
イ　ゆみへん
ウ　ひへん
エ　き
オ　こめへん
カ　はこがまえ
キ　つち
ク　いとへん
ケ　かばね　しかばね
コ　がんだれ

1	2
3	4
5	6
7	8
9	10

1×10

/10

(四)

次の漢字の**太い画**のところは**筆順の何画目**か、また**総画数は何画**か、**算用数字**(1、2、3…)で答えなさい。

〈例〉右 何画目(2) 総画数(5)

	何画目	総画数
賀	(1)	(2)
構	(3)	(4)
犯	(5)	(6)
脈	(7)	(8)
護	(9)	(10)

1	2	3	4	5	6	7	8	9	10

2×10

/20

(五)

漢字を二字組み合わせたじゅく語では、二つの漢字の間に意味の上で、次のような関係があります。

ア 反対や対(つい)になる意味の字を組み合わせたもの。(例…**強弱**)

イ 同じような意味の字を組み合わせたもの。(例…**進行**)

ウ 上の字が下の字の意味を説明(修飾(しょく))しているもの。(例…**直線**)

エ 下の字から上の字へ返って読むと意味がよくわかるもの。(例…**開会**)

次の**じゅく語**は、右のア〜エのどれにあたるか、**記号**で答えなさい。

1 防火( ) 2 去来( ) 3 損得( )

4 計測( ) 5 街灯( ) 6 遠近( )

7 保温( ) 8 取材( ) 9 禁止( )

10 眼下( )

第9回

(六)

2×10　／20

次の**カタカナ**を**漢字**になおし、**一字だけ**書きなさい。

1 **セイ**治家
2 **キョ**容量
3 消費**ゼイ**
4 大運**ガ**
5 不**サイ**用
6 **シ**育係
7 **メン**織物
8 無期**ゲン**
9 **カン**用句
10 **ギャク**効果

1	2
3	4
5	6
7	8
9	10

(七)

2×10　／20

後の□の中のひらがなを漢字になおして、**対義語**（意味が反対や対になることば）と、**類義語**（意味がよくにたことば）を書きなさい。□の中のひらがなは**一度だけ**使い、**漢字一字**を書きなさい。

対義語

応用―（1）本
連続―中（2）
合成―分（3）
固定―（4）動
不作―（5）作

類義語

家屋―住（6）
赤字―（7）失
発行―発（8）
仕事―（9）業
加減―（10）度

い　かい　き　だん　ほう

かん　きょ　しょく　そん　てい

1	2	3	4	5	6	7	8	9	10

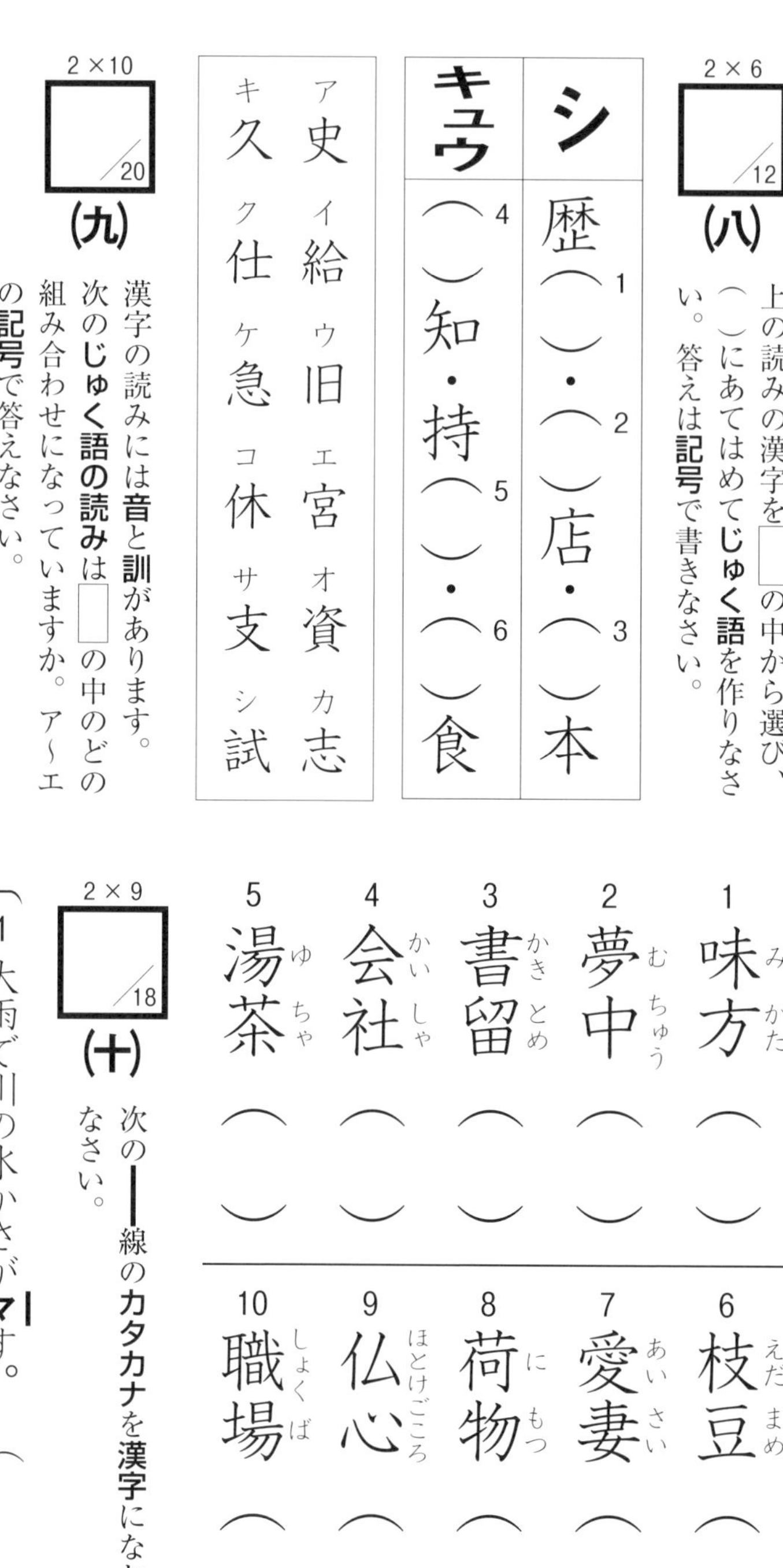

(八)

2×6　/12

上の読みの漢字を□の中から選び、（　）にあてはめて**じゅく語**を作りなさい。答えは**記号**で書きなさい。

シ	キュウ
歴（1）・（2）店・（3）本	（4）知・持（5）・（6）食

ア 史　イ 給　ウ 旧　エ 宮　オ 資　カ 志
キ 久　ク 仕　ケ 急　コ 休　サ 支　シ 試

(九)

2×10　/20

漢字の読みには**音**と**訓**があります。次の**じゅく語の読み**は□の中のどの組み合わせになっていますか。ア～エの**記号**で答えなさい。

ア 音と音　イ 音と訓
ウ 訓と訓　エ 訓と音

1 味方（みかた）（　）
2 夢中（むちゅう）（　）
3 書留（かきとめ）（　）
4 会社（かいしゃ）（　）
5 湯茶（ゆちゃ）（　）

6 枝豆（えだまめ）（　）
7 愛妻（あいさい）（　）
8 荷物（にもつ）（　）
9 仏心（ほとけごころ）（　）
10 職場（しょくば）（　）

(十)

2×9　/18

次の――線の**カタカナ**を**漢字**になおしなさい。

1 大雨で川の水かさが**マ**す。（　）
2 不安な気持ちが入り**マ**じる。（　）

3 実験結果を記**ジュツ**する。（　）
4 彼は話**ジュツ**がたくみだ。（　）

第9回

5 正**カク**な長さをはかる。（　　）
6 弟は明るい性**カク**である。（　　）
7 **ヒョウ**判のよい店で買う。（　　）
8 学校の体育館が投**ヒョウ**所になった。（　　）
9 通行止めの**ヒョウ**示がある。（　　）

2×20
／40

(十) 次の——線の**カタカナ**を**漢字**になおしなさい。

1 遠い先祖は**ブシ**だったという。（　　）
2 **ツネ**に努力をおこたらない。（　　）
3 三つの小学校が**トウゴウ**される。（　　）
4 ぼくの両親は似た者**フウフ**だ。（　　）
5 貨物をパリから**クウユ**する。（　　）
6 大学で心理学を**オサ**める。（　　）
7 父はとても**ナサ**け深い人だ。（　　）
8 じゅくで冬期**コウシュウ**を受ける。（　　）
9 自分を**セ**める必要はない。（　　）
10 本が無**ゾウサ**に置かれている。（　　）
11 庭に**サクラ**の木を植える。（　　）
12 堂堂とむねを**ハ**って行進する。（　　）
13 知らない町で道に**マヨ**う。（　　）
14 クラスメイトがロミオを**エン**じる。（　　）
15 **エイセイ**放送の番組を見る。（　　）
16 友達に消しゴムを**カ**す。（　　）
17 **ジュンジョ**よくならびましょう。（　　）
18 客を室内に**マネ**き入れる。（　　）
19 通学に**オウフク**二時間かかる。（　　）
20 飛ぶ鳥を落とす**イキオ**い（　　）

6級

第10回★テスト（60分）

◇合計点◇

（200点満点の　　点）

- 140点以上　合格
- 110点以上　合格まであと一歩
- 80点以上　さらに努力を

1×20　／20

(一) 次の――線の**漢字の読み**を**ひらがな**で書きなさい。

1 話し合って採用の基準を決める。（　　）
2 海で美しい桜貝を見つける。（　　）
3 来客を応接室に案内する。（　　）
4 貧しくとも明るく生きる。（　　）
5 妹は目もとが母に似ている。（　　）
6 多額の財政赤字をかかえる。（　　）
7 授業に集中することが大事だ。（　　）
8 いつかは気象予報士になりたい。（　　）
9 明日の試合の戦略をねる。（　　）
10 海辺の夜に波の音が快い。（　　）
11 友達のさそいを泣く泣く断った。（　　）
12 妹には心の支えが必要だ。（　　）
13 母が弁当を作ってくれる。（　　）
14 今回のテストは易しかった。（　　）
15 検算でまちがいを発見する。（　　）
16 大会を前に武者ぶるいをする。（　　）
17 父は理事長を三期務めた。（　　）
18 五年前にこの町へ移ってきた。（　　）
19 年賀のあいさつに訪（おとず）れる。（　　）
20 損して得取れ（　　）

2×5

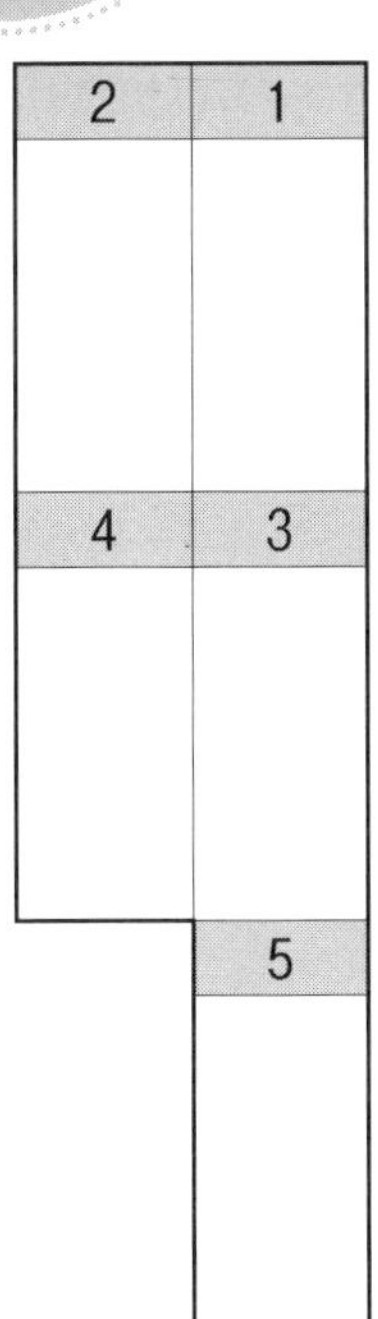

(二)

次の——線のカタカナを○の中の漢字と送りがな（ひらがな）で書きなさい。

〈例〉（考）問題の答えを**カンガエル**。［考える］

1 （解）春がきて山の雪が**トケル**。

2 （易）テストに**ヤサシイ**計算問題が出た。

3 （許）時間の**ユルス**かぎり話し合おう。

4 （絶）友人からの連らくが**タエル**。

5 （余）発表会まで**アマス**ところ三日となる。

2	1
4	3
	5

1×10

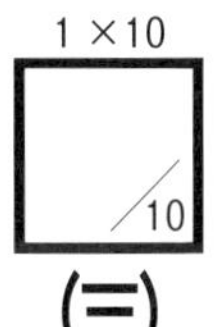

(三)

次の漢字の**部首名**と**部首**を書きなさい。**部首名**は、後の□から選んで**記号**で答えなさい。

〈例〉引・強（イ）〔弓〕 部首名 部首

部首名 部首

費・賞（1）〔2〕

授・損（3）〔4〕

志・応（5）〔6〕

在・墓（7）〔8〕

犯・独（9）〔10〕

ア つち
イ ゆみへん
ウ てへん
エ ひつじ
オ おおがい
カ かい こがい
キ くさかんむり
ク こころ
ケ けものへん
コ まだれ

2	1
4	3
6	5
8	7
10	9

(四) 1×10 /10

次の漢字の**太い画**のところは**筆順の何画目か**、また**総画数は何画か**、**算用数字**(1、2、3…)で答えなさい。

〈例〉右 何画目(2) 総画数(5)

	何画目	総画数
師	(1)	(2)
断	(3)	(4)
導	(5)	(6)
版	(7)	(8)
婦	(9)	(10)

1	2	3	4	5	6	7	8	9	10

(五) 2×10 /20

漢字を二字組み合わせたじゅく語では、二つの漢字の間に意味の上で、次のような関係があります。

ア 反対や対(つい)になる意味の字を組み合わせたもの。(例…**強弱**)

イ 同じような意味の字を組み合わせたもの。(例…**進行**)

ウ 上の字が下の字の意味を説明(修飾(しょく))しているもの。(例…**直線**)

エ 下の字から上の字へ返って読むと意味がよくわかるもの。(例…**開会**)

次の**じゅく語**は、右のア～エのどれにあたるか、**記号**で答えなさい。

1 安易( ) 2 永住( ) 3 受粉( )

4 建築( ) 5 悲喜( ) 6 売買( )

7 賞賛( ) 8 造船( ) 9 最適( )

10 映写( )

第10回

(六) 2×10 ／20

次の**カタカナ**を**漢字**になおし、**一字だけ**書きなさい。

1 **サン**性雨
2 不**カ**欠
3 新校**シャ**
4 無意**シキ**
5 血**エキ**型
6 人**ケン**費
7 **ショウ**竹梅
8 自画**ゾウ**
9 品**ピョウ**会
10 **ヒ**常口

1	2
3	4
5	6
7	8
9	10

(七) 2×10 ／20

後の□の中のひらがなを漢字になおして、**対義語**(意味が反対や対[つい]になることば)と、**類義語**(意味がよくにたことば)を書きなさい。□の中のひらがなは**一度だけ**使い、**漢字一字**を書きなさい。

対義語

全体—(1)別
増加—(2)少
失点—(3)点
自由—(4)制
修理—(5)損

類義語

全額—(6)額
事実—実(7)
不運—逆(8)
強風—(9)風
光景—(10)景

げん　こ　とう　とく　は

きょう　さい　じょう　そう　ぼう

1	2	3	4	5	6	7	8	9	10

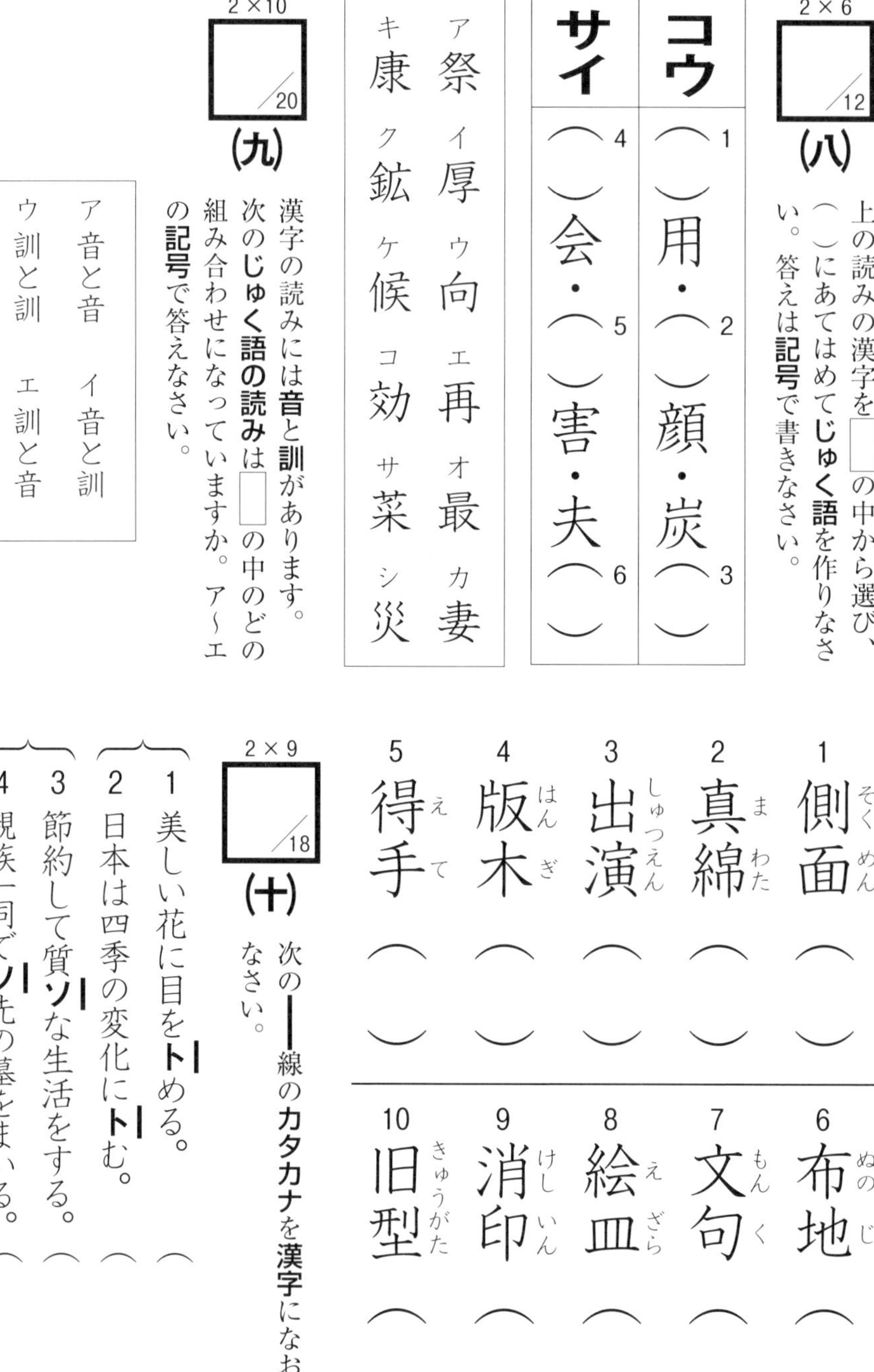

2×6 ／12

(八) 上の読みの漢字を□の中から選び、（　）にあてはめて**じゅく語**を作りなさい。答えは**記号**で書きなさい。

コウ 1（　）用・2（　）顔・炭3（　）

サイ 4（　）会・5（　）害・夫6（　）

ア 祭　イ 厚　ウ 向　エ 再　オ 最　カ 妻
キ 康　ク 鉱　ケ 候　コ 効　サ 菜　シ 災

2×10 ／20

(九) 漢字の読みには**音**と**訓**があります。次の**じゅく語の読み**は□の中のどの組み合わせになっていますか。ア〜エの**記号**で答えなさい。

ア 音と音　イ 音と訓
ウ 訓と訓　エ 訓と音

1 側面（そくめん）（　）
2 真綿（まわた）（　）
3 出演（しゅつえん）（　）
4 版木（はんぎ）（　）
5 得手（えて）（　）
6 布地（ぬのじ）（　）
7 文句（もんく）（　）
8 絵皿（えざら）（　）
9 消印（けしいん）（　）
10 旧型（きゅうがた）（　）

2×9 ／18

(十) 次の——線の**カタカナ**を**漢字**になおしなさい。

1 美しい花に目を**ト**める。（　）
2 日本は四季の変化に**ト**む。（　）
3 節約して質**ソ**な生活をする。（　）
4 親族一同で**ソ**先の墓をまいる。（　）

5 彼らは**ギ**理の親子だ。（　　）
6 建築**ギ**師をめざしている。（　　）
7 重**セキ**にたえかねる。（　　）
8 終業式に成**セキ**表をもらう。（　　）
9 **セキ**雪で通行止めになる。（　　）

(十)

2×20　/40

次の——線の**カタカナ**を**漢字**になおしなさい。

1 増水した川で遊ぶことを**キン**じる。（　　）
2 心**ユタ**かな生活に満足している。（　　）
3 一日中遊んで**ワタ**のようにつかれた。（　　）
4 **セイケツ**な衣服に身をつつむ。（　　）
5 防犯の心**ガマ**えを教わる。（　　）
6 仕事に必要な**シカク**をとる。（　　）
7 病院で**カフン**しょうの薬をもらった。（　　）
8 商店街は**コンザツ**していた。（　　）
9 週末に晴れる**カクリツ**は高い。（　　）
10 運動をして若さを**タモ**つ。（　　）
11 **ユメ**に近づくために努力する。（　　）
12 去年と**クラ**べて暑い日が多い。（　　）
13 古い民家を**フクゲン**する。（　　）
14 会社の不正を**コクハツ**する。（　　）
15 才能のある選手が**アラワ**れた。（　　）
16 **キュウゴ**の手をさしのべる。（　　）
17 新しい**ギンガ**を発見する。（　　）
18 母が**ケワ**しい顔をしておこる。（　　）
19 土地を**タガヤ**し草木を植える。（　　）
20 薬も**ス**ぎれば毒となる（　　）

6級

第11回★テスト（60分）

◇合計点◇

200点満点の　　点

- 140点以上　合格
- 110点以上　合格まであと一歩
- 80点以上　さらに努力を

1×20　／20

(一) 次の――線の**漢字の読み**を**ひらがな**で書きなさい。

1 長い年月を経て石が風化する。（　　）
2 図工の時間に厚紙で箱を作る。（　　）
3 消費税の仕組みを学ぶ。（　　）
4 室内で暴れてはいけない。（　　）
5 自分の思いを綿綿とつづる。（　　）
6 課税の強化には反対する。（　　）
7 計画の実現は容易でない。（　　）
8 新しい調理法を編み出す。（　　）
9 雑木林に虫をつかまえに行く。（　　）
10 住み慣れた土地をはなれる。（　　）
11 書きぞめが金賞に選ばれた。（　　）
12 たき火が勢いよくもえる。（　　）
13 課題をやりとげ達成感を得る。（　　）
14 雑誌の増刊号を売店で買う。（　　）
15 時代の流れに逆行している。（　　）
16 ケガをして病院で輸血を受けた。（　　）
17 父は気に留める様子もない。（　　）
18 兄は都内の大学に在学中だ。（　　）
19 友達から夕食に招かれる。（　　）
20 備えあればうれいなし（　　）

第11回

(二)

2×5　/10

次の――線のカタカナを○の中の漢字と**送りがな**(ひらがな)で書きなさい。

〈例〉(考) 問題の答えを**カンガエル**。 考える

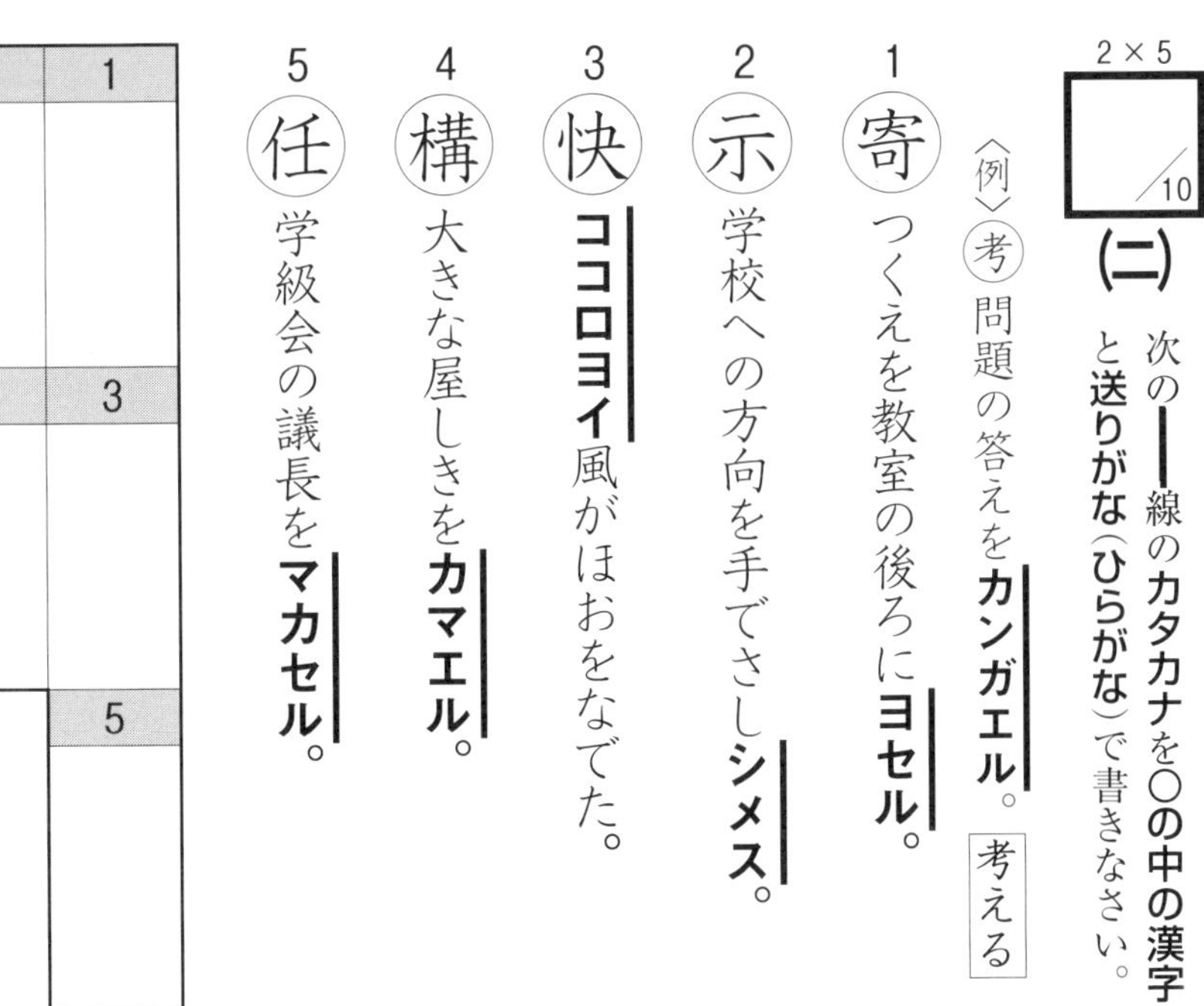

1 (寄) つくえを教室の後ろに**ヨセル**。

2 (示) 学校への方向を手でさし**シメス**。

3 (快) **ココロヨイ**風がほおをなでた。

4 (構) 大きな屋しきを**カマエル**。

5 (任) 学級会の議長を**マカセル**。

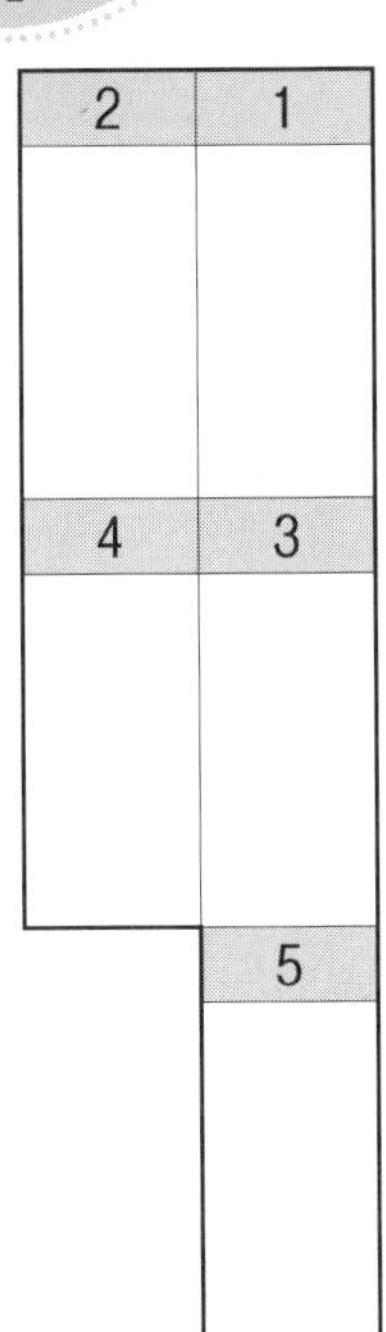

2	1
4	3
	5

(三)

1×10　/10

次の漢字の**部首名**と**部首**を書きなさい。**部首名**は、後の□から選んで**記号**で答えなさい。

〈例〉引・強 (イ)〔弓〕
部首名　部首

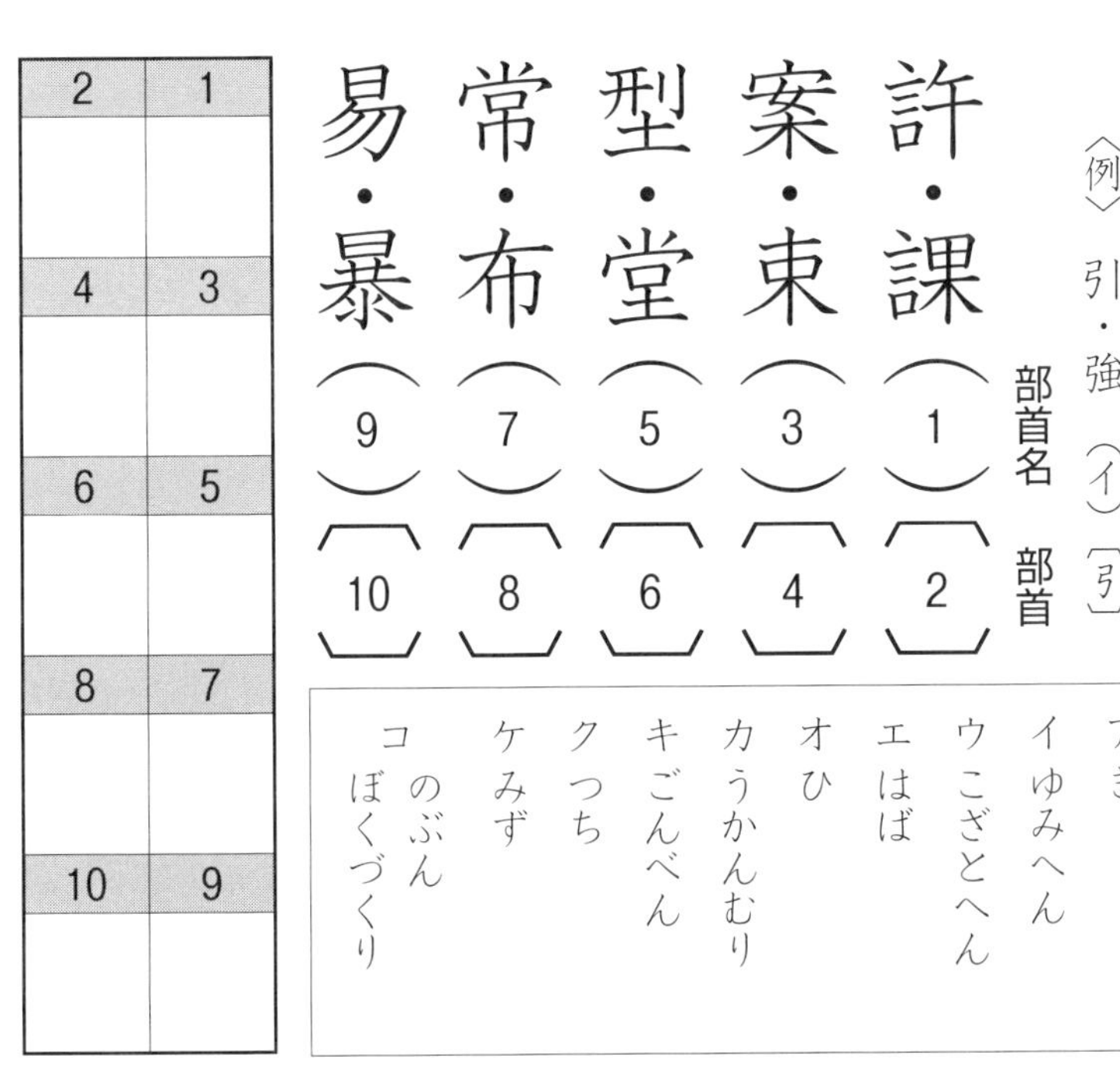

	部首名	部首
許・課	(1)	(2)
案・東	(3)	(4)
型・堂	(5)	(6)
常・布	(7)	(8)
易・暴	(9)	(10)

ア き
イ ゆみへん
ウ こざとへん
エ はば
オ ひ
カ うかんむり
キ ごんべん
ク つち
ケ みず
コ のぶん
ぼくづくり

2	1
4	3
6	5
8	7
10	9

(四)

1×10

/10

次の漢字の**太い画**のところは**筆順の何画目**か、また**総画数は何画**か、**算用数字**(1、2、3…)で答えなさい。

〈例〉右 何画目(2) 総画数(5)

	何画目	総画数
慣	(1)	(2)
災	(3)	(4)
酸	(5)	(6)
夢	(7)	(8)
製	(9)	(10)

1	2	3	4	5	6	7	8	9	10

(五)

2×10

/20

漢字を二字組み合わせたじゅく語では、二つの漢字の間に意味の上で、次のような関係があります。

ア 反対や対(つい)になる意味の字を組み合わせたもの。(例…**強弱**)

イ 同じような意味の字を組み合わせたもの。(例…**進行**)

ウ 上の字が下の字の意味を説明(修飾(しょく))しているもの。(例…**直線**)

エ 下の字から上の字へ返って読むと意味がよくわかるもの。(例…**開会**)

次の**じゅく語**は、右のア～エのどれにあたるか、**記号**で答えなさい。

1 天地( )
2 製鉄( )
3 規則( )
4 技術( )
5 予告( )
6 飼育( )
7 木造( )
8 出題( )
9 昼夜( )
10 再会( )

第11回

(六)

2×10　／20

次の**カタカナ**を**漢字**になおし、**一字だけ**書きなさい。

1 **キ**本的
2 **カ**不足
3 出**パン**社
4 **コン**合物
5 不利**エキ**
6 **サン**美歌
7 調理**シ**
8 無事**コ**
9 方**ガン**紙
10 **フク**製品

1	2
3	4
5	6
7	8
9	10

(七)

2×10　／20

後の□の中のひらがなを漢字になおして、**対義語**（意味が反対や対になることば）と、**類義語**（意味がよくにたことば）を書きなさい。□の中のひらがなは**一度だけ**使い、**漢字一字**を書きなさい。

対義語

新式―（1）式
未定―（2）定
活動―休（3）
主語―（4）語
完敗―（5）勝

類義語

様子―（6）態
案内―先（7）
素質―才（8）
高額―高（9）
老後―（10）生

あっ　かく　きゅう　じゅつ　よう

か　じょう　どう　のう　よ

1	2	3	4	5	6	7	8	9	10

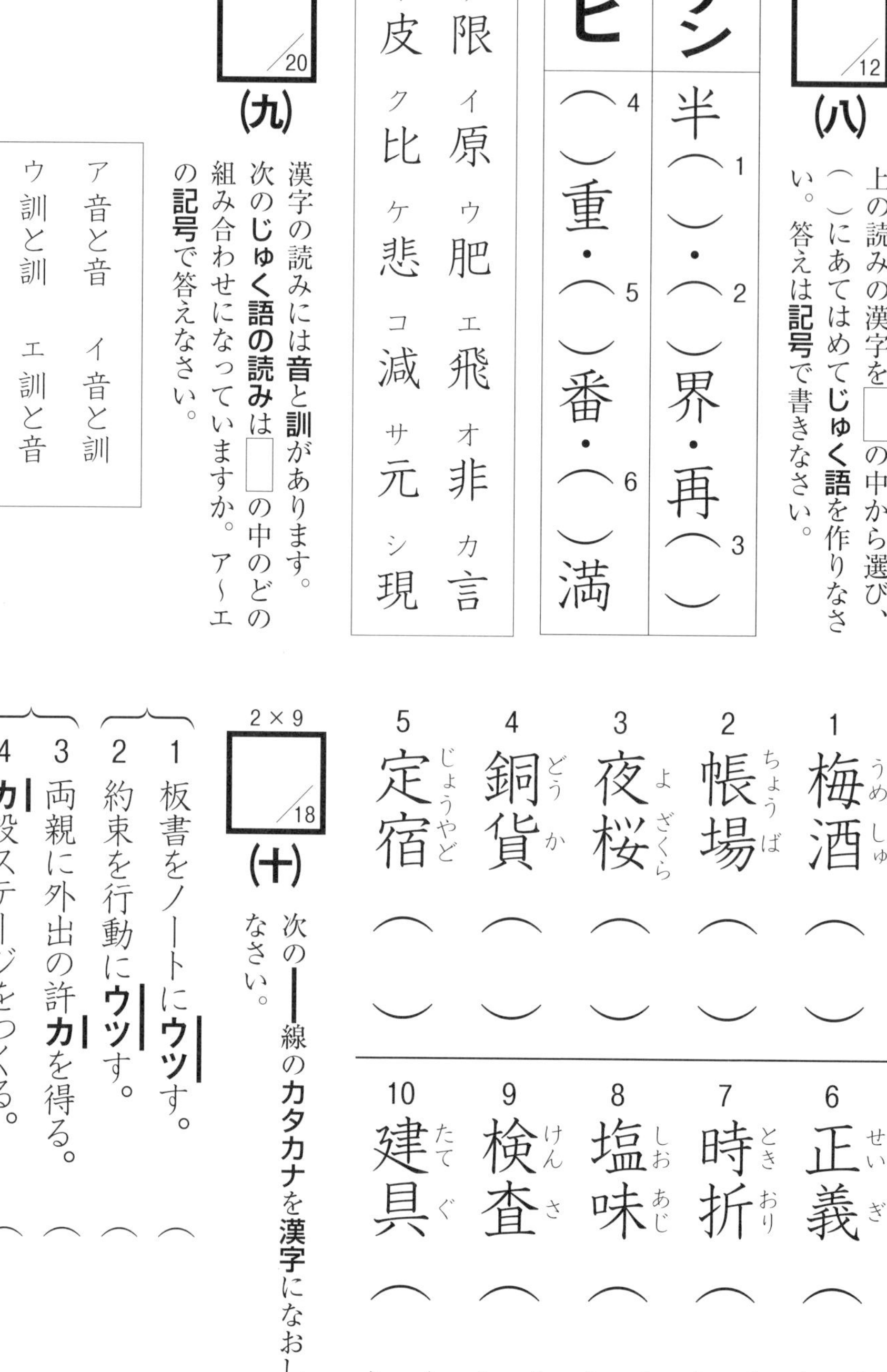

(八) 2×6 /12

上の読みの漢字を□の中から選び、（　）にあてはめて**じゅく語**を作りなさい。答えは**記号**で書きなさい。

ゲン	ヒ
半（1）・（2）界・再（3）	（4）重・（5）番・（6）満

ア 限　イ 原　ウ 肥　エ 飛　オ 非　カ 言
キ 皮　ク 比　ケ 悲　コ 減　サ 元　シ 現

(九) 2×10 /20

漢字の読みには**音**と**訓**があります。次の**じゅく語の読み**は□の中のどの組み合わせになっていますか。ア〜エの**記号**で答えなさい。

ア 音と音　イ 音と訓
ウ 訓と訓　エ 訓と音

1 梅酒（うめしゅ）（　）
2 帳場（ちょうば）（　）
3 夜桜（よざくら）（　）
4 銅貨（どうか）（　）
5 定宿（じょうやど）（　）
6 正義（せいぎ）（　）
7 時折（ときおり）（　）
8 塩味（しおあじ）（　）
9 検査（けんさ）（　）
10 建具（たてぐ）（　）

(十) 2×9 /18

次の——線の**カタカナ**を**漢字**になおしなさい。

1 板書をノートに**ウツ**す。（　）
2 約束を行動に**ウツ**す。（　）
3 両親に外出の許**カ**を得る。（　）
4 **カ**設ステージをつくる。（　）

5 家族旅行の日**テイ**を決める。（　　）
6 録画した番組を一時**テイ**止する。（　　）

7 先生の**サイ**点はあまい。（　　）
8 国**サイ**的に活やくする。（　　）
9 **サイ**子をつれて帰省する。（　　）

(十)

2×20

/40

次の――線の**カタカナ**を**漢字**になおしなさい。

1 光が**オ**りなす芸術に感動する。（　　）
2 委員としての**セキム**をはたす。（　　）
3 あの店はいつも行列が**タ**えない。（　　）
4 **キンセイ**のとれた体型の馬だ。（　　）
5 町を流れる川の水深を**ハカ**る。（　　）
6 薬が**キ**かずなかなか治らない。（　　）
7 **ザイアク**感をいだき反省する。（　　）
8 知的**ザイサン**は守られるべきだ。（　　）
9 飛行機に**ネンリョウ**を補(ほ)給する。（　　）
10 約束を**ヤブ**ってはいけない。（　　）
11 家族のために身を**コ**にして働いた。（　　）
12 地元にある小さな寺の**ボチ**を参る。（　　）
13 県**ザカイ**に高い山が連なる。（　　）
14 **ボウハン**意識の高い地域に住む。（　　）
15 大きな**ココロザシ**をもつ。（　　）
16 お年玉は全て**チョキン**している。（　　）
17 急成長の**ヨウイン**をさぐる。（　　）
18 希望の**ショクギョウ**につきたい。（　　）
19 姉は東京で**ヒト**りぐらしである。（　　）
20 **ホトケ**の顔も三度

6級

第12回★テスト（60分）

◇合計点◇

200点満点の（　　　点）

- 140点以上 合格
- 110点以上 合格まであと一歩
- 80点以上 さらに努力を

1×20　　/20

(一) 次の――線の**漢字の読み**を**ひらがな**で書きなさい。

1 博物館内での飲食は禁止だ。（　　）
2 再来月タイを訪れるつもりだ。（　　）
3 スーパーでひき肉とパン粉を買った。（　　）
4 台所に野菜を常備している。（　　）
5 海でおぼれた人を救護する。（　　）
6 有益な話し合いができた。（　　）
7 弟は逆上がりの練習に熱心だ。（　　）
8 入学を志願した理由を言う。（　　）
9 弱小チームを率いて大会に出る。（　　）
10 綿雲が空に発生している。（　　）
11 祖父は農業を営んでいる。（　　）
12 絶え間なく雪がふり続く。（　　）
13 学生が実行委員会を組織した。（　　）
14 国境でパスポートを見せる。（　　）
15 頭を深く下げて謝罪する。（　　）
16 見事な枝ぶりが目をひく。（　　）
17 知らぬが仏ということもある。（　　）
18 定規でまっすぐに線を引く。（　　）
19 父としての面ぼくを保つ。（　　）
20 急いては事を仕損ずる（　　）

第12回

2×5　/10

(二)

次の――線のカタカナを○の中の漢字と送りがな（ひらがな）で書きなさい。

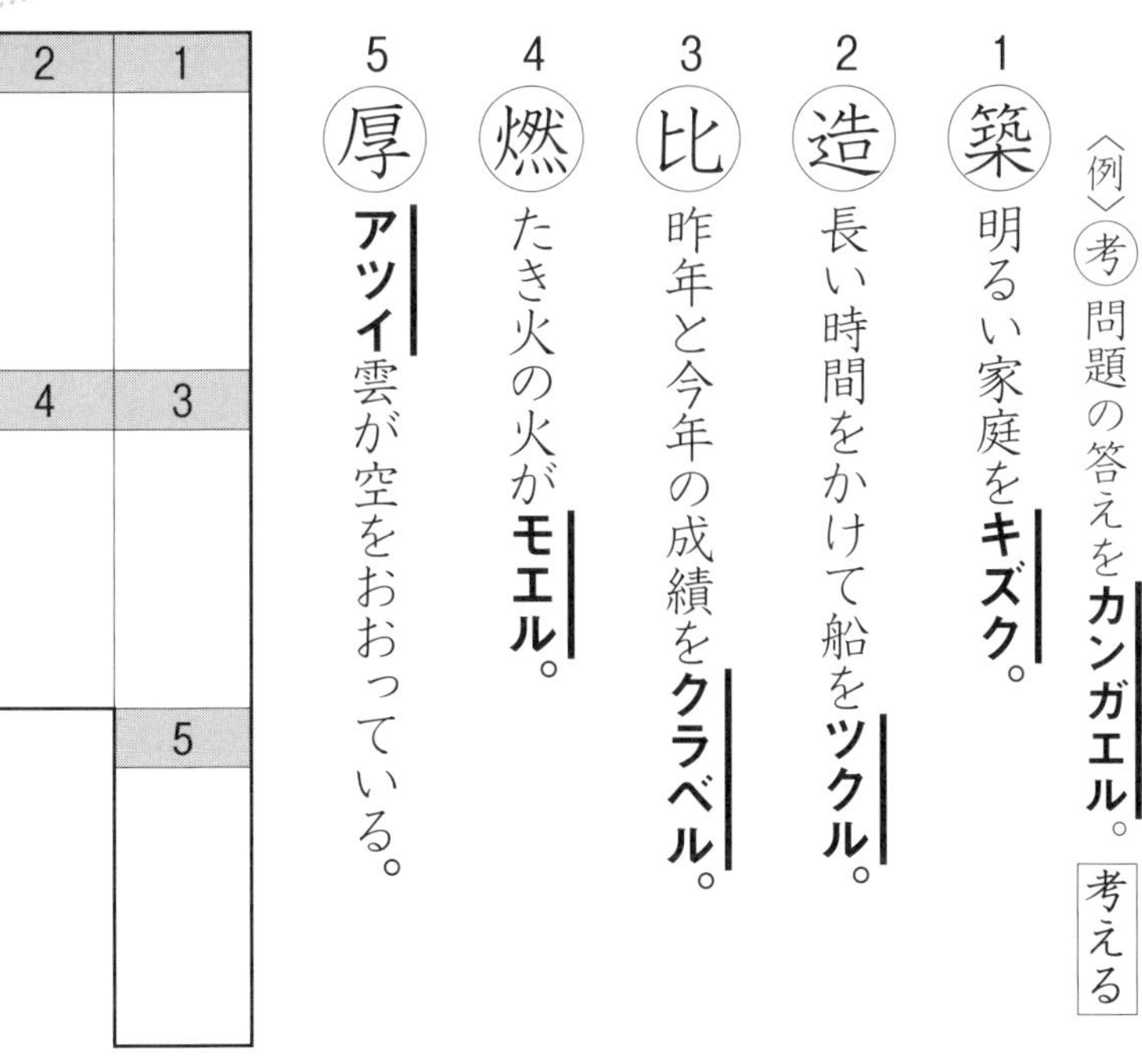

〈例〉（考）問題の答えを**カンガエル**。［考える］

1 （築）明るい家庭を**キズク**。

2 （造）長い時間をかけて船を**ツクル**。

3 （比）昨年と今年の成績を**クラベル**。

4 （燃）たき火の火が**モエル**。

5 （厚）**アツイ**雲が空をおおっている。

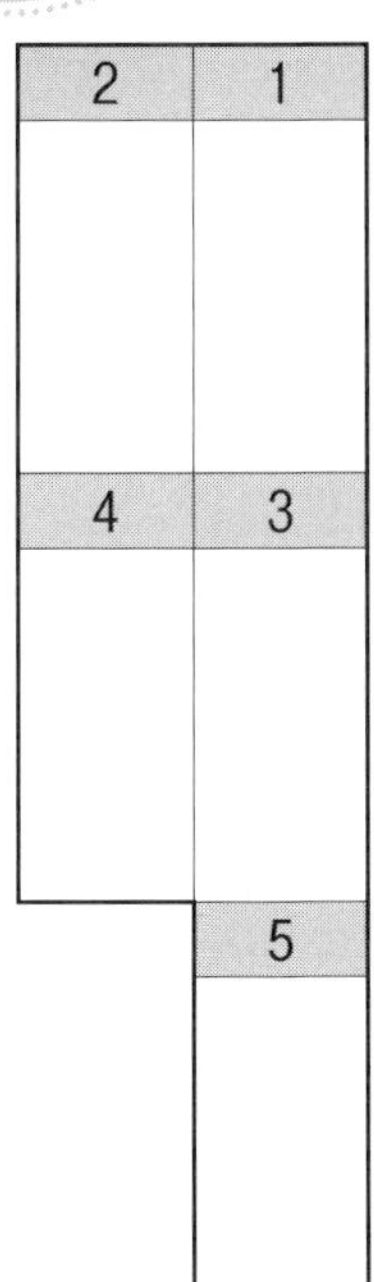

1	2
3	4
5	

1×10　/10

(三)

次の漢字の**部首名**と**部首**を書きなさい。**部首名**は、後の［　］から選んで**記号**で答えなさい。

〈例〉引・強　部首名（イ）　部首〔弓〕

	部首名	部首
義・美	（1）	〔2〕
質・資	（3）	〔4〕
囲・因	（5）	〔6〕
術・衛	（7）	〔8〕
演・潔	（9）	〔10〕

ア　ぎょうがまえ　ゆきがまえ
イ　ゆみへん
ウ　のぎへん
エ　ひつじ
オ　くにがまえ
カ　にくづき
キ　ぎょうにんべん
ク　さんずい
ケ　ひとやね
コ　かい　こがい

1	2
3	4
5	6
7	8
9	10

1×10

/10

(四)

次の漢字の**太い画**のところは**筆順の何画目**か、また**総画数は何画**か、**算用数字**（1、2、3…）で答えなさい。

〈例〉右　何画目（2）　総画数（5）

漢字	何画目	総画数
雑	（1）	（2）
常	（3）	（4）
額	（5）	（6）
鉱	（7）	（8）
肥	（9）	（10）

1	2	3	4	5	6	7	8	9	10

2×10

/20

(五)

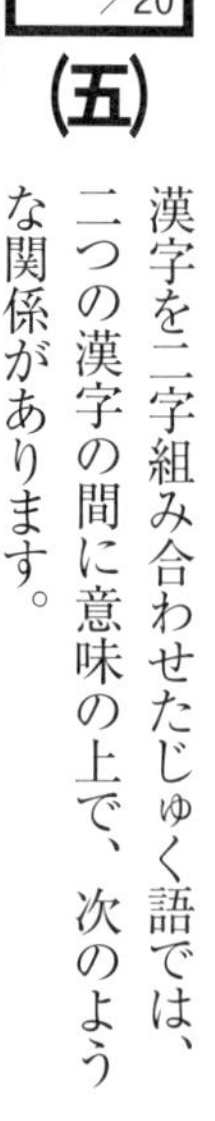

漢字を二字組み合わせたじゅく語では、二つの漢字の間に意味の上で、次のような関係があります。

ア　反対や対になる意味の字を組み合わせたもの。（例…**強弱**）

イ　同じような意味の字を組み合わせたもの。（例…**進行**）

ウ　上の字が下の字の意味を説明（修飾）しているもの。（例…**直線**）

エ　下の字から上の字へ返って読むと意味がよくわかるもの。（例…**開会**）

次の**じゅく語**は、右のア〜エのどれにあたるか、**記号**で答えなさい。

1 順逆（　）　2 絶食（　）　3 圧力（　）

4 指名（　）　5 大志（　）　6 消灯（　）

7 大仏（　）　8 志望（　）　9 細大（　）

10 停止（　）

第12回

(六) 2×10 ／20

次のカタカナを漢字になおし、一字だけ書きなさい。

1 不正カイ
2 探ケン家
3 コウ果的
4 ク読点
5 無セイ限
6 記ジュツ式
7 方テイ式
8 サクラ前線
9 感謝ジョウ
10 サイ害地

1	2
3	4
5	6
7	8
9	10

(七) 2×10 ／20

後の□の中のひらがなを漢字になおして、対義語（意味が反対や対（つい）になることば）と、類義語（意味がよくにたことば）を書きなさい。□の中のひらがなは一度だけ使い、漢字一字を書きなさい。

対義語

感情―理（1）
集合―（2）散
実際―想（3）
用心―油（4）
固体―（5）体

類義語

風習―（6）習
留守―不（7）
義務―（8）任
永遠―永（9）
決定―（10）決

えき　かい　せい　ぞう　だん

か　かん　きゅう　ざい　せき

10	9	8	7	6	5	4	3	2	1

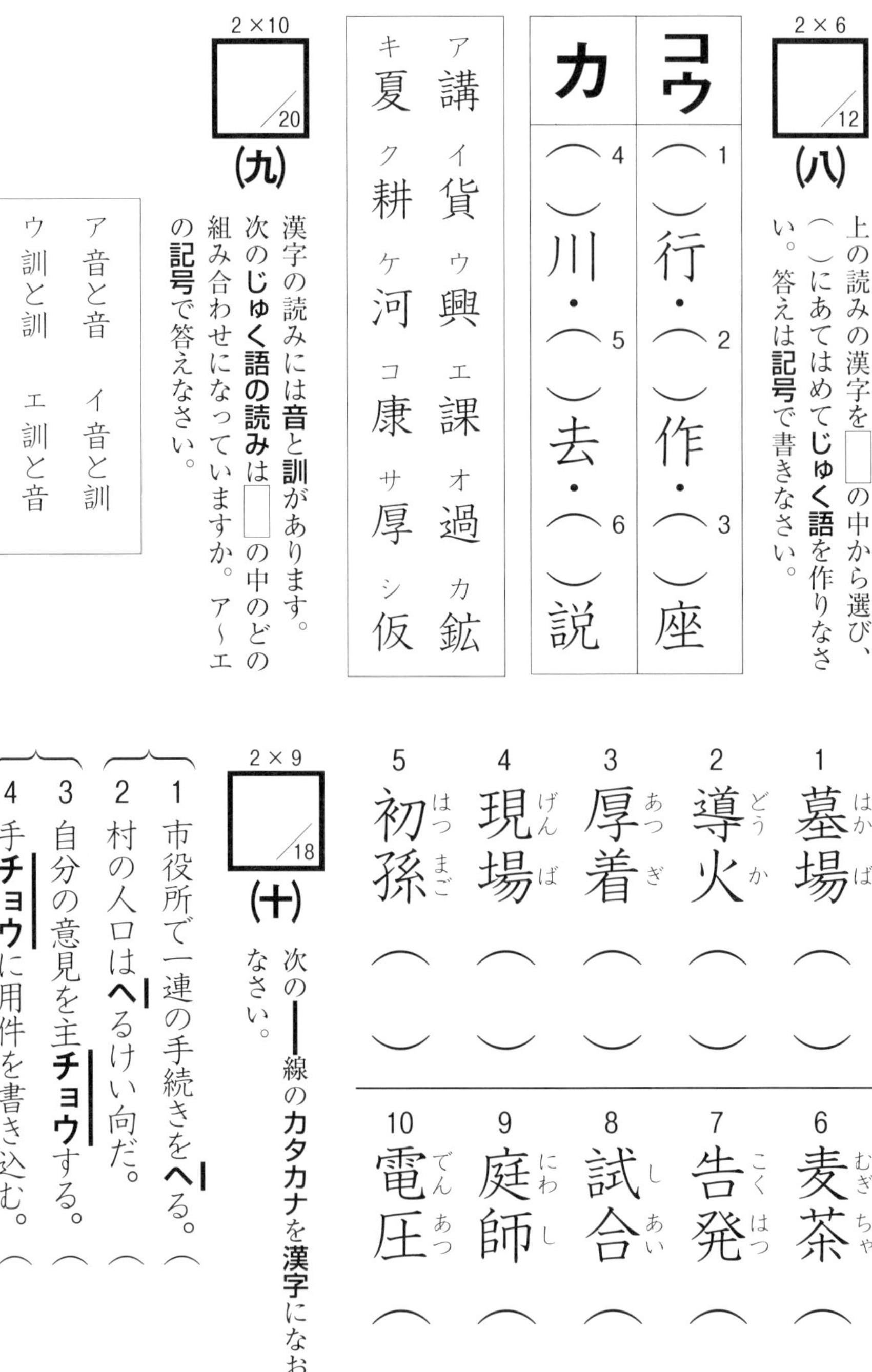

（八）

2×6 ／12

上の読みの漢字を□の中から選び、（　）にあてはめて**じゅく語**を作りなさい。答えは**記号**で書きなさい。

コウ	**カ**
（1）行・（2）作・（3）座	（4）川・（5）去・（6）説

ア 講　イ 貨　ウ 興　エ 課　オ 過　カ 鉱
キ 夏　ク 耕　ケ 河　コ 康　サ 厚　シ 仮

（九）

2×10 ／20

漢字の読みには**音**と**訓**があります。次の**じゅく語の読み**は□の中のどの組み合わせになっていますか。ア～エの**記号**で答えなさい。

ア 音と音　イ 音と訓
ウ 訓と訓　エ 訓と音

1 墓場（はかば）（　）
2 導火（どうか）（　）
3 厚着（あつぎ）（　）
4 現場（げんば）（　）
5 初孫（はつまご）（　）

6 麦茶（むぎちゃ）（　）
7 告発（こくはつ）（　）
8 試合（しあい）（　）
9 庭師（にわし）（　）
10 電圧（でんあつ）（　）

（十）

2×9 ／18

次の――線の**カタカナ**を**漢字**になおしなさい。

1 市役所で一連の手続きを**へ**る。（　）
2 村の人口は**へ**るけい向だ。（　）

3 自分の意見を主**チョウ**する。（　）
4 手**チョウ**に用件を書き込む。（　）

第12回

5 消**ボウ**士にあこがれる。（　）
6 自由**ボウ**易を前進させる。（　）

7 小学生対**ショウ**のキャンプに参加した。（　）
8 発表会の**ショウ**待を受ける。（　）
9 身分**ショウ**明書を見せる。（　）

2×20　／40

(十) 次の――線の**カタカナ**を**漢字**になおしなさい。

1 他人の**ヒョウカ**が気になる。（　）
2 大木の**ミキ**の直径をはかる。（　）
3 病院で**ミャク**を測ってもらう。（　）
4 大きな男が**ボウリョク**をふるう。（　）
5 今日の天気**ヨホウ**ははずれた。（　）
6 ベッドで**ココロヨ**いねむりにつく。（　）
7 原因をくわしく**チョウサ**する。（　）
8 お金の**カ**しかりはやめよう。（　）
9 最近、図書館の本が**フ**えてきた。（　）
10 父と山にきのこを**ト**りに行く。（　）
11 公務員の友人は**カンシャ**に住む。（　）
12 おしくも**ジュン**決勝で敗れた。（　）
13 食品を海外に**ユシュツ**している。（　）
14 先生の言葉が心の**ササ**えである。（　）
15 それとこれは**ベッコ**の問題だ。（　）
16 雨雲は東方に**ウツ**った。（　）
17 休みの日に一家**ダン**らんを楽しむ。（　）
18 母が健康であるのは**タシ**かだ。（　）
19 ここにはぼくの**イ**場所がない。（　）
20 **ノウ**あるたかはつめをかくす（　）

6級

第13回★テスト（60分）

◇合計点◇

（200点満点の　　点）

● 140点以上 合格
● 110点以上 合格まであと一歩
● 80点以上 さらに努力を

1×20

□ /20

(一) 次の――線の**漢字の読み**を**ひらがな**で書きなさい。

1 公民館利用の許可がおりる。（　）
2 公私の境目がわからなくなる。（　）
3 郵（ゆう）便局で貯金を下ろした。（　）
4 勉強時間が減ってしまった。（　）
5 最前列の席を確保する。（　）
6 映（えい）画の内容を説明する。（　）
7 原料は輸入にたよっている。（　）
8 捨（す）てねこを飼うことにした。（　）
9 投票で採決がおこなわれた。（　）
10 彼が責めを負う必要はない。（　）
11 休日は終日家に居る予定だ。（　）
12 設備のよい病院に転院する。（　）
13 他の生徒に示しがつかない。（　）
14 失敗して破れかぶれになる。（　）
15 日本を永住の地と定めた。（　）
16 人人に身を修める道を説く。（　）
17 長期にわたり一国を支配する。（　）
18 先生に久しく会っていない。（　）
19 正当防衛がみとめられた。（　）
20 果報はねて待て（　）

第13回

(二)

2×5　/10

次の――線のカタカナを○の中の漢字と送りがな(ひらがな)で書きなさい。

〈例〉(考) 問題の答えを**カンガエル**。　考える

1 (慣) やっと新しい学校に**ナレル**。

2 (招) 家にたくさんの友達を**マネク**。

3 (留) 母のことばをしっかり心に**トメル**。

4 (述) 会議で自分の言い分を**ノベル**。

5 (快) **ココロヨイ**風がふいている。

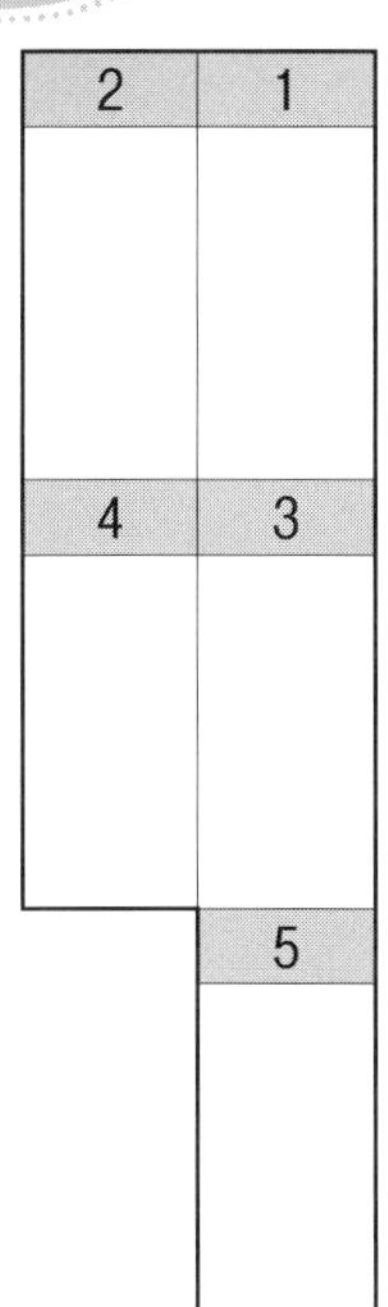
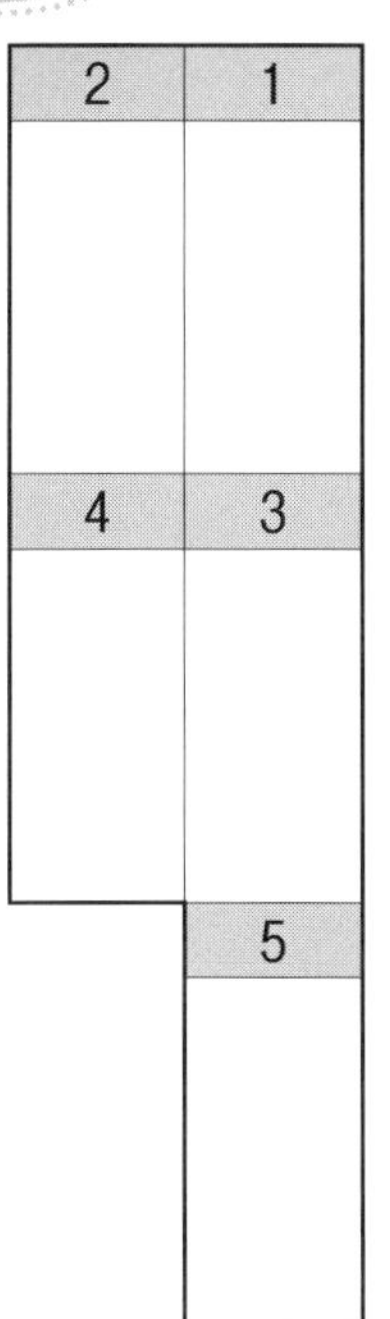

2	1
4	3
	5

(三)

1×10　/10

次の漢字の部首名と部首を書きなさい。部首名は、後の□から選んで記号で答えなさい。

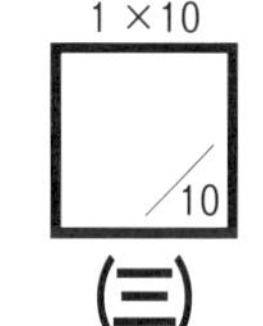

〈例〉引・強　部首名(イ)　部首〔弓〕

	部首名	部首
桜・格	(1)	(2)
快・情	(3)	(4)
禁・示	(5)	(6)
限・防	(7)	(8)
銅・鉱	(9)	(10)

ア りっしんべん
イ ゆみへん
ウ しめす
エ はば
オ てへん
カ かねへん
キ きへん
ク がんだれ
ケ くち
コ こざとへん

2	1
4	3
6	5
8	7
10	9

1×10

/10

(四)

次の漢字の**太い画**のところは**筆順の何画目**か、また**総画数は何画**か、**算用数字**(1、2、3…)で答えなさい。

〈例〉右(何画目 2)(総画数 5)

	何画目	総画数
減	(1)	(2)
境	(3)	(4)
識	(5)	(6)
状	(7)	(8)
績	(9)	(10)

1	2	3	4	5	6	7	8	9	10

2×10

/20

(五)

漢字を二字組み合わせたじゅく語では、二つの漢字の間に意味の上で、次のような関係があります。

ア 反対や対(つい)になる意味の字を組み合わせたもの。(例…**強弱**)

イ 同じような意味の字を組み合わせたもの。(例…**進行**)

ウ 上の字が下の字の意味を説明(修飾(しょく))しているもの。(例…**直線**)

エ 下の字から上の字へ返って読むと意味がよくわかるもの。(例…**開会**)

次の**じゅく語**は、右のア〜エのどれにあたるか、**記号**で答えなさい。

1 軽重( )
2 入団( )
3 古書( )
4 製塩( )
5 岩石( )
6 損失( )
7 定価( )
8 大型( )
9 移動( )
10 苦楽( )

(六)

2×10 /20

次のカタカナを漢字になおし、一字だけ書きなさい。

1 キュウ正月
2 伝トウ的
3 貿易ガク
4 新カン線
5 カ分数

6 大セッ戦
7 不適オウ
8 キュウ急車
9 ベン護士
10 食中ドク

2	1
4	3
6	5
8	7
10	9

(七)

2×10 /20

後の□の中のひらがなを漢字になおして、対義語（意味が反対や対になることば）と、類義語（意味がよくにたことば）を書きなさい。□の中のひらがなは一度だけ使い、漢字一字を書きなさい。

対義語

不便―便（1）
平常―（2）常
共同―単（3）
受領―（4）出
集合―（5）散

類義語

失敗―（6）失
順番―順（7）
意見―主（8）
死者―（9）人
熱中―（10）中

か	て	ど	ひ	り
かい	てい	どく	ひ	り

か	こ	じょ	ちょう	む

1	2	3	4	5	6	7	8	9	10

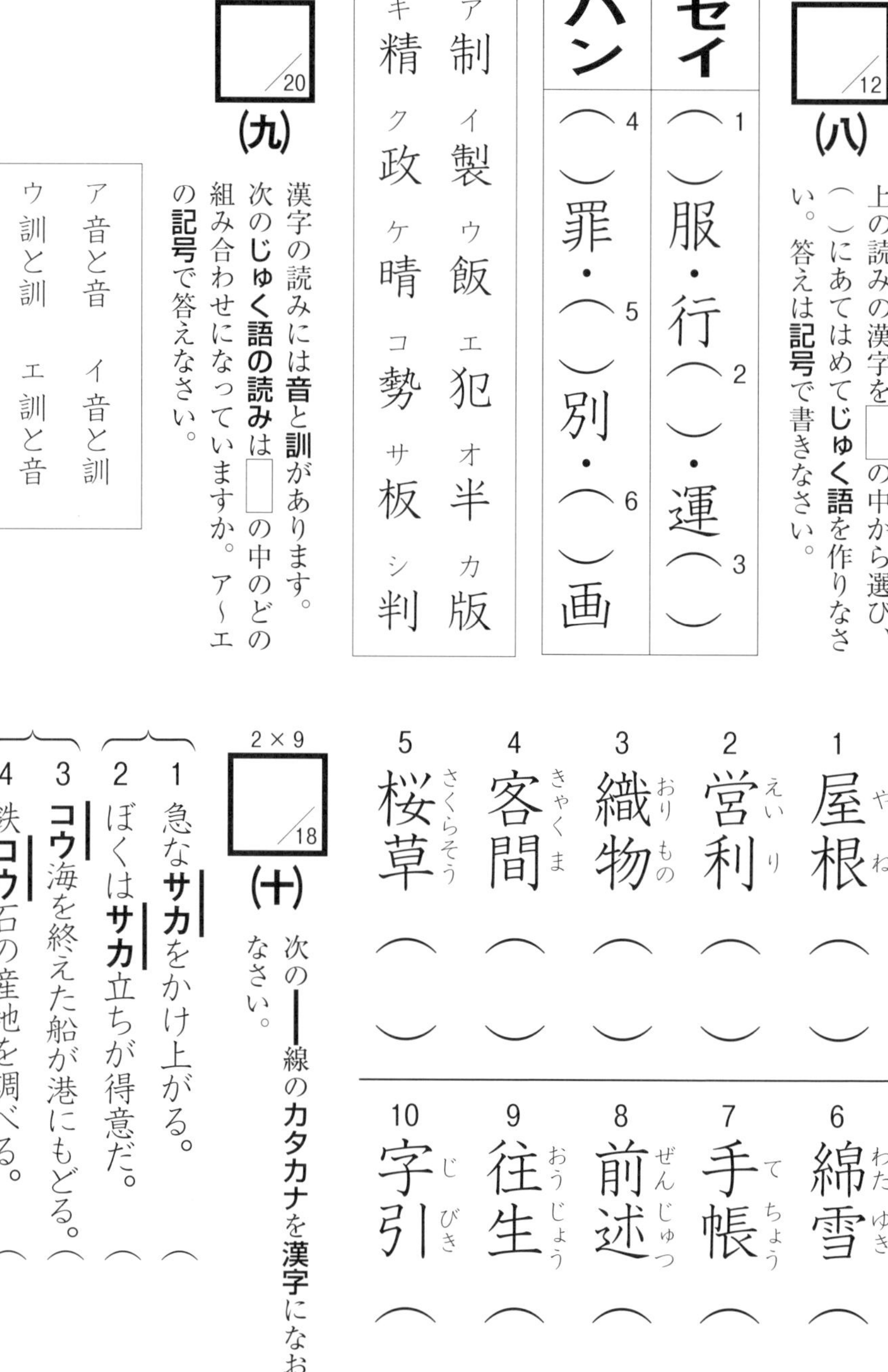

(八) 2×6 /12

上の読みの漢字を□の中から選び、（　）にあてはめて**じゅく語**を作りなさい。答えは**記号**で書きなさい。

セイ	**ハン**
（1）服・行（2）・運（3）	（4）罪・（5）別・（6）画

ア 制　イ 製　ウ 飯　エ 犯　オ 半　カ 版
キ 精　ク 政　ケ 晴　コ 勢　サ 板　シ 判

(九) 2×10 /20

漢字の読みには**音**と**訓**があります。次の**じゅく語の読み**は□の中のどの組み合わせになっていますか。ア～エの**記号**で答えなさい。

ア 音と音　イ 音と訓
ウ 訓と訓　エ 訓と音

1 屋根（やね）（　）
2 営利（えいり）（　）
3 織物（おりもの）（　）
4 客間（きゃくま）（　）
5 桜草（さくらそう）（　）
6 綿雪（わたゆき）（　）
7 手帳（てちょう）（　）
8 前述（ぜんじゅつ）（　）
9 往生（おうじょう）（　）
10 字引（じびき）（　）

(十) 2×9 /18

次の――線の**カタカナ**を**漢字**になおしなさい。

1 急な**サカ**をかけ上がる。（　）
2 ぼくは**サカ**立ちが得意だ。（　）
3 **コウ**海を終えた船が港にもどる。（　）
4 鉄**コウ**石の産地を調べる。（　）

5 父のしゅみは天体観**ソク**だ。（　）
6 自然界の法**ソク**にしたがう。（　）
7 保**ケン**の加入をすすめられる。（　）
8 次つぎと事**ケン**がおこる。（　）
9 火の元を点**ケン**する。（　）

2×20
/40

(十) 次の――線の**カタカナ**を**漢字**になおしなさい。

1 友達とよい関係を**キズ**く。（　）
2 **ソザイ**にこだわり料理する。（　）
3 **ムエキ**な争いはやめよう。（　）
4 部下に仕事を**マカ**せる。（　）
5 会の**ヨキョウ**で手品を見せる。（　）
6 レモンは**サンミ**が強い。（　）
7 妹にはその洋服がよく**ニ**合う。（　）
8 **ショウサン**の声がよせられる。（　）
9 世界の人口は年年**フ**えている。（　）
10 自分の**ショクム**をはたす。（　）
11 川が**エダ**分かれしている。（　）
12 母は**ゲンザイ**仕事中です。（　）
13 **チャクガン**点のよい自由研究だ。（　）
14 分**アツ**い百科事典で調べる。（　）
15 トラクターで畑を**タガヤ**す。（　）
16 金属の**セイシツ**を理科で学ぶ。（　）
17 部長がチームを**ヒキ**いる。（　）
18 なんの**コトワ**りもなく休む。（　）
19 **キホン**練習をくり返す。（　）
20 天高く馬**コ**ゆる秋（　）

6級

第14回★テスト（60分）

◇合計点◇

200点満点の　　点

- 140点以上　合格
- 110点以上　合格まであと一歩
- 80点以上　さらに努力を

（一）次の――線の**漢字の読み**を**ひらがな**で書きなさい。

1×20　／20

1 故意にこわしたのではない。（　）
2 この服は運動に適している。（　）
3 絵をかく前に構図を考える。（　）
4 苦しい生活から解放された。（　）
5 正午を告げるチャイムがなった。（　）
6 新旧役員の顔合わせをする。（　）
7 ご想像にお任せします。（　）
8 味方の軍勢は二万に達する。（　）
9 英語の口述試験を受ける。（　）
10 練習試合で大いに暴れる。（　）
11 大事な日に限って熱を出す。（　）
12 レスキュー隊に命を救われた。（　）
13 山の中で道に迷ってしまった。（　）
14 農業は北海道の基幹産業だ。（　）
15 二酸化炭素は増え続ける。（　）
16 大事な部品が欠損している。（　）
17 おじはまだ独り者である。（　）
18 高血圧なので塩分をひかえる。（　）
19 朝早くから墓をそうじする。（　）
20 情けは人のためならず（　）

第14回

(二)

2×5　/10

次の――線のカタカナを○の中の漢字と送りがな（ひらがな）で書きなさい。

〈例〉（考）問題の答えをカンガエル。［考える］

1 （責）人のあやまちをセメル。

2 （確）わすれ物がないかタシカメル。

3 （減）リサイクルしてゴミをヘラス。

4 （再）一度やんだ雨がフタタビふり出す。

5 （破）親と約束した門限をヤブル。

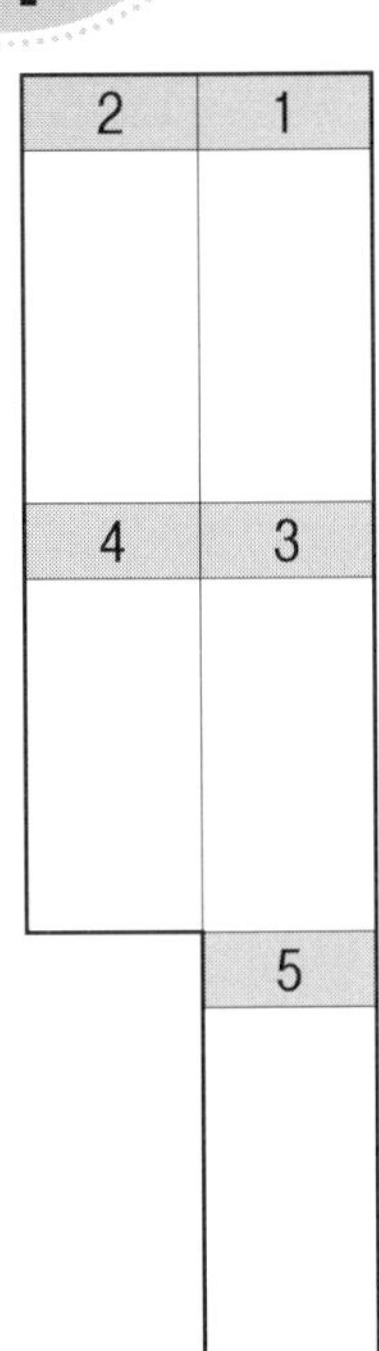

(三)

1×10　/10

次の漢字の部首名と部首を書きなさい。部首名は、後の□から選んで記号で答えなさい。

〈例〉引・強　部首名（イ）　部首〔弓〕

	部首名	部首
測・液	（1）	〔2〕
勢・務	（3）	〔4〕
願・領	（5）	〔6〕
険・際	（7）	〔8〕
志・態	（9）	〔10〕

ア りっとう
イ ゆみへん
ウ こざとへん
エ ちから
オ こころ
カ おおがい
キ おおざと
ク くち
ケ しめす
コ さんずい

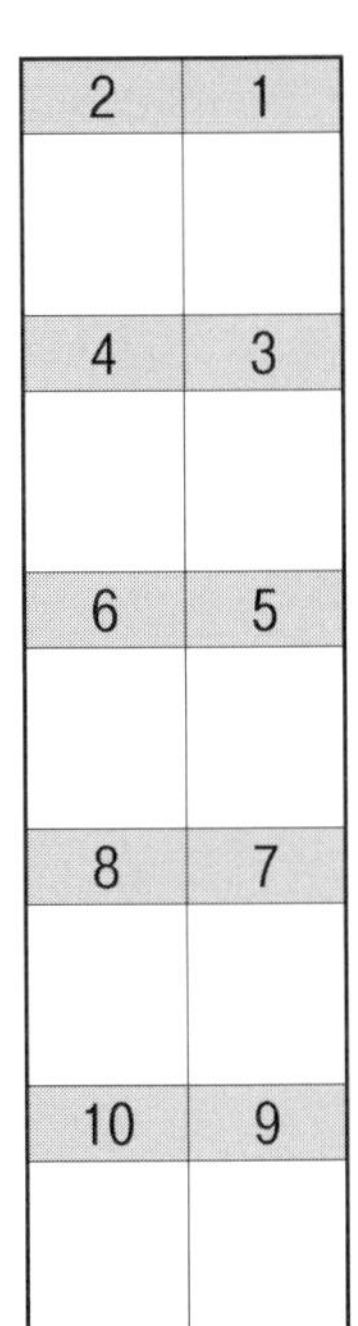

1×10

/10

（四）

次の漢字の**太い画**のところは**筆順の何画目**か、また**総画数は何画**か、**算用数字**（1、2、3…）で答えなさい。

〈例〉 右 何画目（2） 総画数（5）

	確	逆	航	益	桜
何画目	（1）	（3）	（5）	（7）	（9）
総画数	（2）	（4）	（6）	（8）	（10）

1	2	3	4	5	6	7	8	9	10

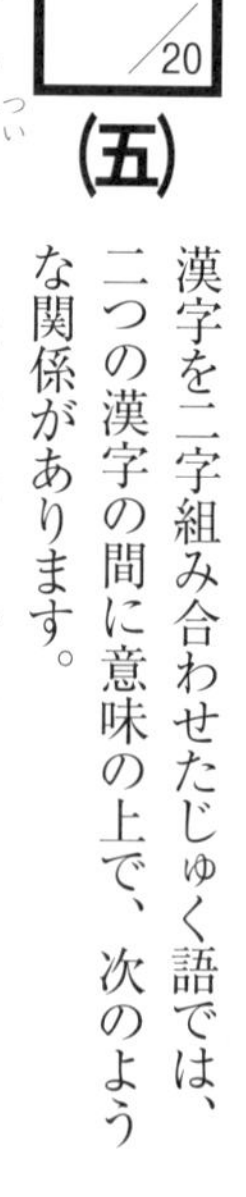

2×10

/20

（五）

漢字を二字組み合わせたじゅく語では、二つの漢字の間に意味の上で、次のような関係があります。

ア 反対や対（つい）になる意味の字を組み合わせたもの。（例…**強弱**）

イ 同じような意味の字を組み合わせたもの。（例…**進行**）

ウ 上の字が下の字の意味を説明（修飾（しょく））しているもの。（例…**直線**）

エ 下の字から上の字へ返って読むと意味がよくわかるもの。（例…**開会**）

次の**じゅく語**は、右のア～エのどれにあたるか、**記号**で答えなさい。

1 寒暑（ ）　2 取材（ ）　3 採取（ ）

4 美談（ ）　5 楽勝（ ）　6 満足（ ）

7 夜景（ ）　8 謝罪（ ）　9 長短（ ）

10 点火（ ）

第14回

(六)

2×10 /20

次の**カタカナ**を**漢字**になおし、**一字だけ**書きなさい。

1 **セッ**計図
2 無所**ゾク**
3 栄養**カ**
4 **コ**性的
5 **ニ**顔絵
6 反**ピ**例
7 **キン**漁区
8 不**カイ**感
9 使節**ダン**
10 **ブッ**教徒

1	2
3	4
5	6
7	8
9	10

(七)

2×10 /20

後の□の中のひらがなを漢字になおして、**対義語**(意味が反対や対(つい)になることば)と、**類義語**(意味がよくにたことば)を書きなさい。□の中のひらがなは**一度だけ**使い、**漢字一字**を書きなさい。

対義語

消失—出(1)
一時—(2)遠
実戦—(3)習
罪過—功(4)
不潔—(5)潔

類義語

生産—製(6)
体制—組(7)
通知—(8)告
説明—(9)明
保健—(10)生

えい　えん　げん　せい　せき

えい　しき　ぞう　べん　ほう

1	2	3	4	5	6	7	8	9	10

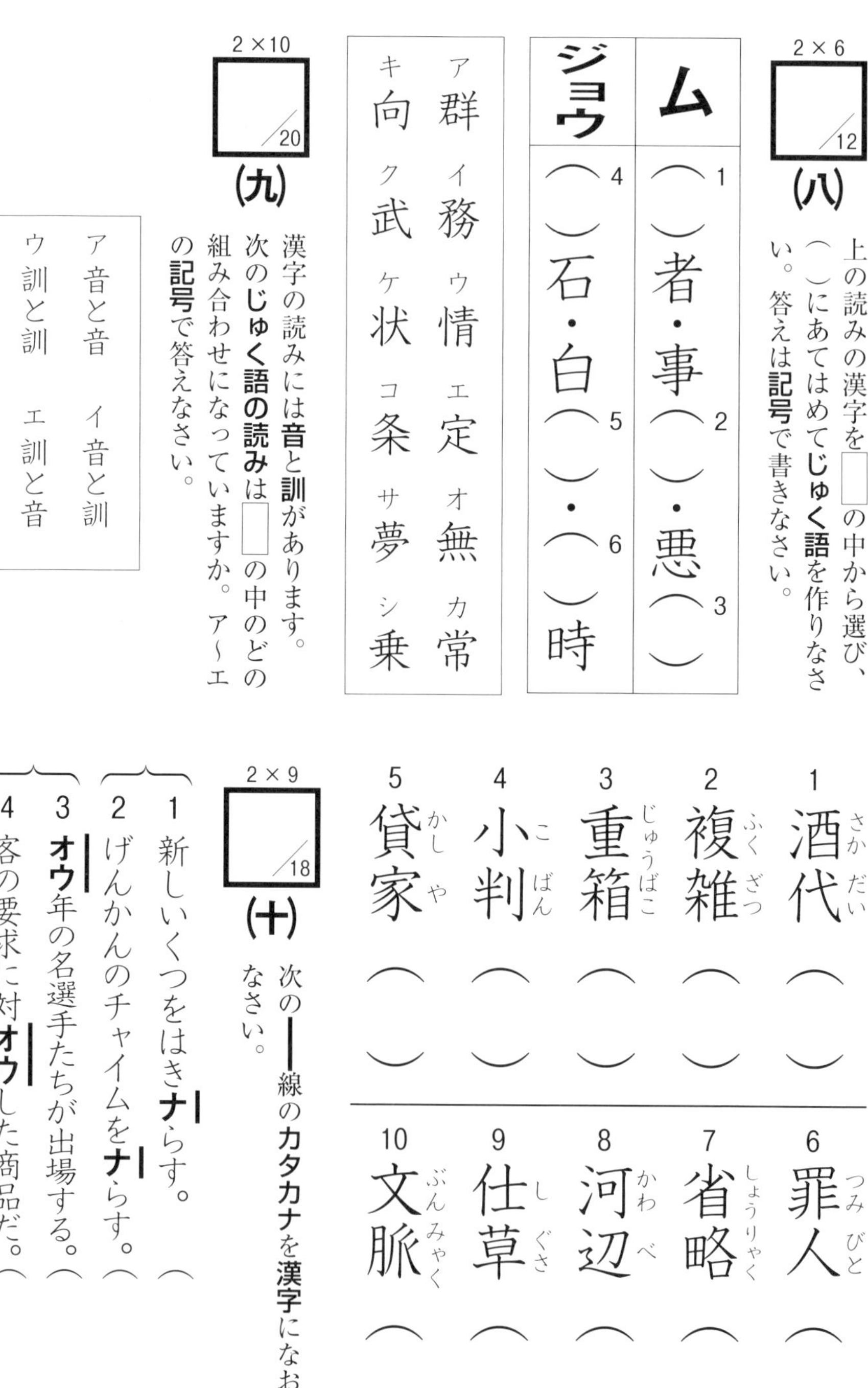

(八) 2×6 ／12

上の読みの漢字を□の中から選び、（　）にあてはめて**じゅく語**を作りなさい。答えは**記号**で書きなさい。

ム	ジョウ
（1）者・事（2）・悪（3）	（4）石・白（5）・（6）時

ア 群	イ 務	ウ 情	エ 定	オ 無	カ 常
キ 向	ク 武	ケ 状	コ 条	サ 夢	シ 乗

(九) 2×10 ／20

漢字の読みには**音**と**訓**があります。次の**じゅく語の読み**は□の中のどの組み合わせになっていますか。ア～エの**記号**で答えなさい。

ア 音と音	イ 音と訓
ウ 訓と訓	エ 訓と音

1 酒代（さかだい）（　）
2 複雑（ふくざつ）（　）
3 重箱（じゅうばこ）（　）
4 小判（こばん）（　）
5 貸家（かしや）（　）
6 罪人（つみびと）（　）
7 省略（しょうりゃく）（　）
8 河辺（かわべ）（　）
9 仕草（しぐさ）（　）
10 文脈（ぶんみゃく）（　）

(十) 2×9 ／18

次の——線の**カタカナ**を**漢字**になおしなさい。

1 新しいくつをはき**ナ**らす。（　）
2 げんかんのチャイムを**ナ**らす。（　）

3 **オウ**年の名選手たちが出場する。（　）
4 客の要求に対**オウ**した商品だ。（　）

5 母は中学校の教**シ**をしている。（　　）
6 会社の**シ**社は新宿にある。（　　）
7 姉は産**フ**人科で働いている。（　　）
8 おじは話題が豊**フ**だ。（　　）
9 街頭でチラシを配**フ**する。（　　）

(十) 次の――線の**カタカナ**を**漢字**になおしなさい。

2×20 /40

1 **サツジン**事件のそうさを行う。（　　）
2 遠くはなれた**ソコク**を思う。（　　）
3 息も**タ**えだえにゴールする。（　　）
4 父は非常に**セイギ**感の強い人だ。（　　）
5 毛糸でマフラーを**ア**む。（　　）
6 **エキシャ**にうらなってもらう。（　　）
7 友人を部屋に**マネ**き入れる。（　　）
8 石を積んで土台を**キズ**く。（　　）
9 国王ご**フサイ**にお目にかかる。（　　）
10 記者会見は**ヒ**公開で行われる。（　　）
11 **カリ**の暗証番号を発行する。（　　）
12 法の**ジコウ**は成立している。（　　）
13 生徒を安全な場所へ**ミチビ**く。（　　）
14 明日は**ボウサイ**訓練がある。（　　）
15 全員で**ヒタイ**を集めて相談した。（　　）
16 **カノウ**であれば協力を願う。（　　）
17 人は見栄(みえ)を**ハ**る生き物だ。（　　）
18 心の**マズ**しい人にはなりたくない。（　　）
19 弟の話は**ヨウリョウ**を得ない。（　　）
20 君子あやうきに近**ヨ**らず（　　）

6級

第15回★テスト（60分）

◇合計点◇

200点満点の（　　点）

● 140点以上　合格
● 110点以上　合格まであと一歩
● 80点以上　さらに努力を

1×20　／20

（一）次の――線の**漢字の読み**を**ひらがな**で書きなさい。

1 月一回の定例会を招集する。（　　）
2 母は目が肥えている。（　　）
3 これは彼独特の手法の絵だ。（　　）
4 屋根のひさしは雨や雪を防ぐ。（　　）
5 祖父はかつて貿易商だった。（　　）
6 放課後に生徒の交流の場を設ける。（　　）
7 悪人が善人の仮面をかぶる。（　　）
8 過労でからだをこわした。（　　）
9 妹が遊園地で迷子になった。（　　）
10 バス停でバスが来るのを待つ。（　　）
11 友達に本を二冊（さつ）貸す。（　　）
12 兄と山でこん虫を採った。（　　）
13 弟の横暴な態度を注意する。（　　）
14 お寺の本堂に仏像を安置する。（　　）
15 時間内に正しい答えを導きだす。（　　）
16 古い神社の修築工事をする。（　　）
17 計画書を会議で提示する。（　　）
18 貧しい生活をしいられる。（　　）
19 うすい布地はぬいにくい。（　　）
20 先んずれば人を制す（　　）

第15回

(二)

2×5 　/10

次の――線のカタカナを○の中の漢字と**送りがな**（**ひらがな**）で書きなさい。

〈例〉（考）問題の答えを**カンガエル**。［考える］

1 （告）チャイムが授業の開始を**ツゲル**。

2 （険）**ケワシイ**目つきでにらまれる。

3 （帯）長年の計画が現実味を**オビル**。

4 （耕）田植えの前に田を**タガヤス**。

5 （試）四月から新たな方法を**ココロミル**。

1	2
3	4
5	

(三)

1×10 　/10

次の漢字の**部首名**と**部首**を書きなさい。**部首名**は、後の□から選んで**記号**で答えなさい。

〈例〉引・強　（イ）部首名　〔弓〕部首

	部首名	部首
招・提	（1）	〔2〕
仮・件	（3）	〔4〕
希・帯	（5）	〔6〕
述・適	（7）	〔8〕
紀・績	（9）	〔10〕

ア てへん
イ ゆみへん
ウ いとへん
エ ころもへん
オ かばね しかばね
カ ふるとり
キ しんにょう しんにゅう
ク はば
ケ えんにょう
コ にんべん

1	2
3	4
5	6
7	8
9	10

1×10

/10

(四)

次の漢字の**太い画**のところは**筆順の何画目**か、また**総画数は何画**か、**算用数字**(1、2、3…)で答えなさい。

〈例〉右 何画目(2) 総画数(5)

	何画目	総画数
険	(1)	(2)
態	(3)	(4)
銅	(5)	(6)
複	(7)	(8)
比	(9)	(10)

1	2	3	4	5	6	7	8	9	10

2×10

/20

(五)

漢字を二字組み合わせたじゅく語では、二つの漢字の間に意味の上で、次のような関係があります。

ア 反対や対(つい)になる意味の字を組み合わせたもの。(例…**強弱**)

イ 同じような意味の字を組み合わせたもの。(例…**進行**)

ウ 上の字が下の字の意味を説明(修飾(しょく))しているもの。(例…**直線**)

エ 下の字から上の字へ返って読むと意味がよくわかるもの。(例…**開会**)

次の**じゅく語**は、右のア～エのどれにあたるか、**記号**で答えなさい。

1 発着( ) 2 検温( ) 3 急増( )

4 境界( ) 5 寄港( ) 6 通過( )

7 朝刊( ) 8 永住( ) 9 当落( )

10 表現( )

(六)

2×10 /20

次の**カタカナ**を**漢字**になおし、**一字だけ**書きなさい。

1 **セイ**米所
2 不**カク**定
3 大**ホウ**作
4 **ユメ**物語
5 **シ**本金
6 無神**ケイ**
7 **セキ**任感
8 **イ**食住
9 **ヘン**集長
10 愛**サイ**家

1	2
3	4
5	6
7	8
9	10

(七)

2×10 /20

後の□の中のひらがなを漢字になおして、**対義語**（意味が反対や対になることば）と、**類義語**（意味がよくにたことば）を書きなさい。□の中のひらがなは**一度だけ**使い、**漢字一字**を書きなさい。

対義語

分散—（1）一
小計—（2）計
実行—準（3）
消火—（4）焼
終章—（5）章

類義語

希望—（6）望
旅館—宿（7）
能率—（8）率
交通—（9）来
点検—検（10）

じょ　そう　とう　ねん　び

おう　こう　さ　し　しゃ

1	2	3	4	5	6	7	8	9	10

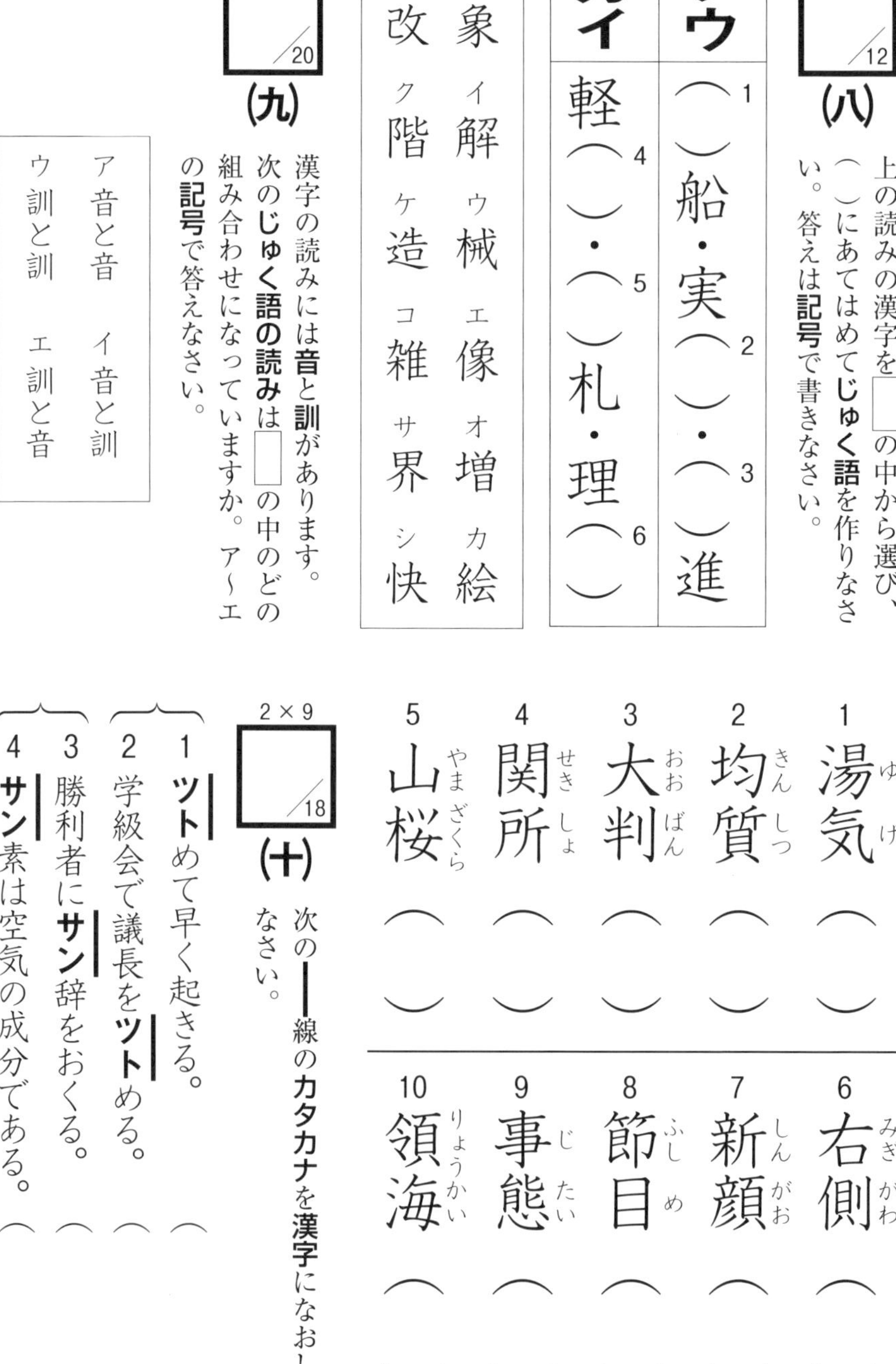

(八) 2×6 /12

上の読みの漢字を□の中から選び、（　）にあてはめて**じゅく語**を作りなさい。答えは**記号**で書きなさい。

ゾウ	**カイ**
1（　）船・実（　）2・（　）3進	軽（　）4・（　）5札・理（　）6

ア 象　イ 解　ウ 械　エ 像　オ 増　カ 絵
キ 改　ク 階　ケ 造　コ 雑　サ 界　シ 快

(九) 2×10 /20

漢字の読みには**音**と**訓**があります。次の**じゅく語の読み**は□の中のどの組み合わせになっていますか。ア〜エの**記号**で答えなさい。

ア 音と音　イ 音と訓
ウ 訓と訓　エ 訓と音

1 湯気（ゆげ）（　）
2 均質（きんしつ）（　）
3 大判（おおばん）（　）
4 関所（せきしょ）（　）
5 山桜（やまざくら）（　）
6 右側（みぎがわ）（　）
7 新顔（しんがお）（　）
8 節目（ふしめ）（　）
9 事態（じたい）（　）
10 領海（りょうかい）（　）

(十) 2×9 /18

次の――線の**カタカナ**を**漢字**になおしなさい。

1 **ツト**めて早く起きる。（　）
2 学級会で議長を**ツト**める。（　）
3 勝利者に**サン**辞をおくる。（　）
4 **サン**素は空気の成分である。（　）

第15回

5 老後はいなかに**キョ**住したい。（　　）
6 新発明をして特**キョ**をとる。（　　）
7 兄は温**コウ**な人がらだ。（　　）
8 大学で**コウ**義を受ける。（　　）
9 災害地の復**コウ**をいそぐ。（　　）

(十) 次の――線の**カタカナ**を**漢字**になおしなさい。

2×20　／40

1 **フタタ**びチャンスがおとずれる。（　　）
2 **エキジョウ**の石けんを使う。（　　）
3 転んでズボンが**ヤブ**れる。（　　）
4 父は**ブドウ**の心得がある。（　　）
5 国民は**ジュウゼイ**に苦しんでいる。（　　）
6 友人の話は**サイゲン**なく続く。（　　）
7 かろうじて首位を**タモ**つ。（　　）
8 コップの**ヨウセキ**を測る。（　　）
9 兄の意見が**ツネ**に正しいわけではない。（　　）
10 早起きの**シュウカン**をつける。（　　）
11 歌の**オンテイ**がはずれる。（　　）
12 球技大会の勝利を仲間と**ヨロコ**ぶ。（　　）
13 **チョキン**を下ろして買い物をする。（　　）
14 **ツミ**をおかすとばつを受ける。（　　）
15 なんとなく**コトワ**りづらい。（　　）
16 本人であることを**ショウメイ**する。（　　）
17 **アマ**ったお金でおかしを買った。（　　）
18 **イキオ**いよくドアをあける。（　　）
19 **エイキュウ**の世界平和を願う。（　　）
20 地ごくで**ホトケ**（　　）

6級

第16回★テスト（60分）

◇合計点◇

（200点満点の　　点）

- 140点以上　合格
- 110点以上　合格まであと一歩
- 80点以上　さらに努力を

1×20　／20

(一) 次の――線の**漢字の読み**を**ひらがな**で書きなさい。

1 サッカーの試合で三得点をあげた。（　）
2 友人は詩的な感性が豊かだ。（　）
3 慣例にのっとり、処（しょ）理する。（　）
4 険しい人生を歩んできた。（　）
5 この記事の文責は私にある。（　）
6 あまりの出来事に絶句する。（　）
7 額にあせして働く。（　）
8 税率引き上げに関心が高まる。（　）
9 どうしても行くと言い張る。（　）
10 破格のねだんで売り出す。（　）
11 兄弟で身長を比べる。（　）
12 自分の意見をはっきり述べる。（　）
13 学校で身体測定をする。（　）
14 思った通りの反応だった。（　）
15 じょうぶな造りの橋だ。（　）
16 複数の妻をめとる国がある。（　）
17 馬と牛に飼料をやる。（　）
18 常常、不公平を感じている。（　）
19 ご厚意に感謝いたします。（　）
20 旅は道連れ世は情け（　）

(二)

2×5 /10

次の――線のカタカナを○の中の漢字と送りがな（ひらがな）で書きなさい。

〈例〉(考) 問題の答えをカンガエル。［考える］

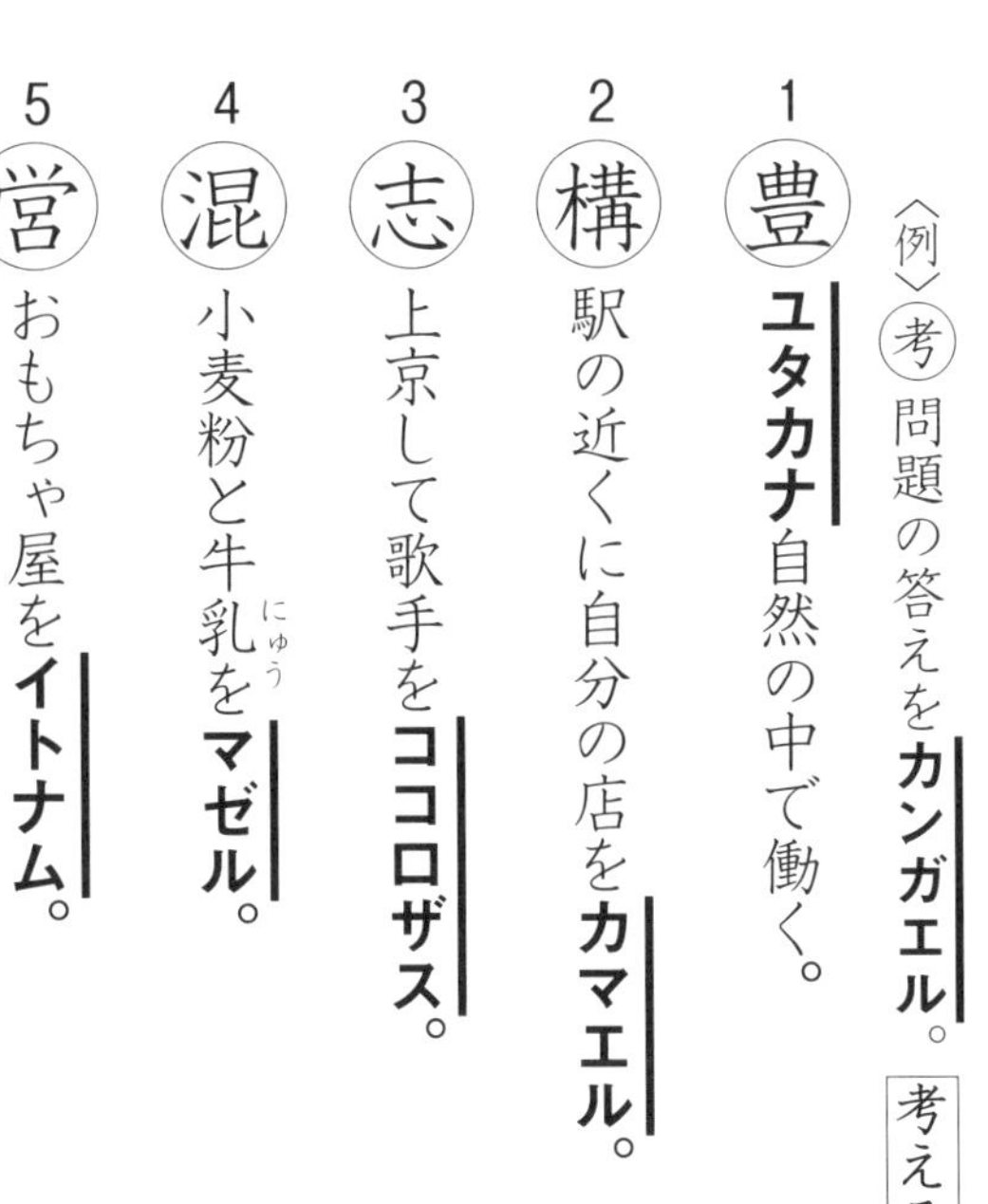

1 (豊) ユタカナ自然の中で働く。

2 (構) 駅の近くに自分の店をカマエル。

3 (志) 上京して歌手をココロザス。

4 (混) 小麦粉と牛乳をマゼル。

5 (営) おもちゃ屋をイトナム。

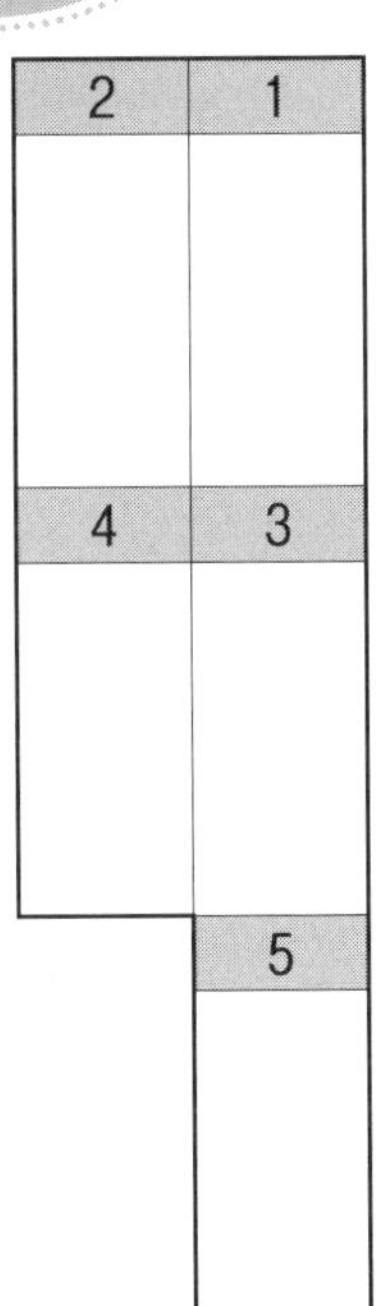

1	2

3	4

5

(三)

1×10 /10

次の漢字の部首名と部首を後の□から選んで記号で答えなさい。

〈例〉引・強（イ）〔弓〕 部首名 部首

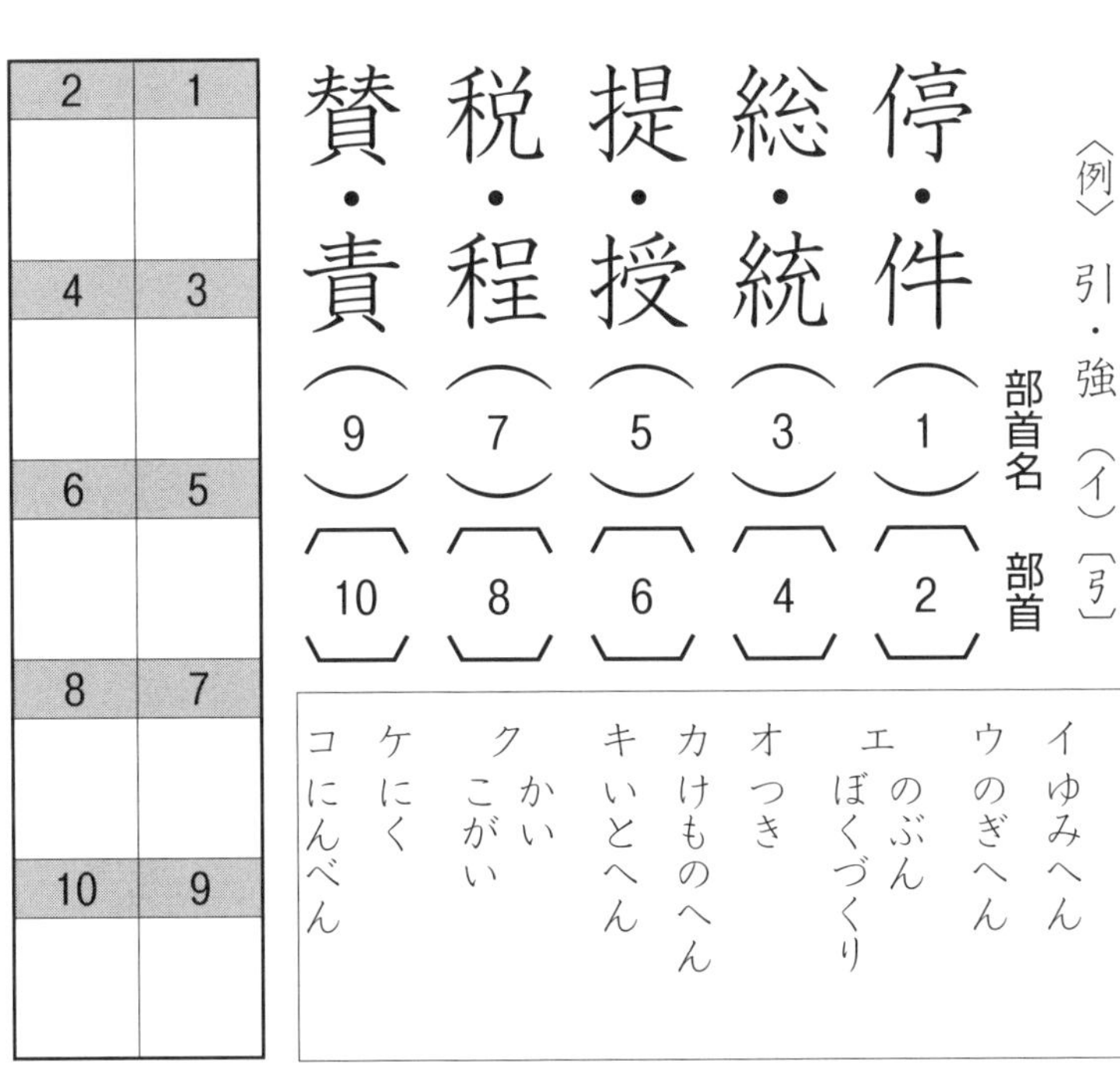

	部首名	部首
停・件	（1）	〔2〕
総・統	（3）	〔4〕
提・授	（5）	〔6〕
税・程	（7）	〔8〕
賛・責	（9）	〔10〕

ア てへん
イ ゆみへん
ウ のぎへん
エ のぶん ぼくづくり
オ つき
カ けものへん
キ いとへん
ク かい こがい
ケ にく
コ にんべん

1	2
3	4
5	6
7	8
9	10

(四)

1×10 ／10

次の漢字の**太い画**のところは**筆順の何画目**か、また**総画数は何画**か、**算用数字**（1、2、3…）で答えなさい。

〈例〉右（2）（5）　何画目　総画数

	何画目	総画数
築	（1）	（2）
輸	（3）	（4）
貿	（5）	（6）
精	（7）	（8）
属	（9）	（10）

1	2	3	4	5	6	7	8	9	10

(五)

2×10 ／20

漢字を二字組み合わせたじゅく語では、二つの漢字の間に意味の上で、次のような関係があります。

ア　反対や対（つい）になる意味の字を組み合わせたもの。（例…**強弱**）

イ　同じような意味の字を組み合わせたもの。（例…**進行**）

ウ　上の字が下の字の意味を説明（修飾（しょく））しているもの。（例…**直線**）

エ　下の字から上の字へ返って読むと意味がよくわかるもの。（例…**開会**）

次の**じゅく語**は、右のア～エのどれにあたるか、**記号**で答えなさい。

1 失業（　）　2 墓地（　）　3 居住（　）

4 救助（　）　5 小枝（　）　6 自他（　）

7 旧知（　）　8 休刊（　）　9 高低（　）

10 酸性（　）

第16回

(六) 2×10 /20

次のカタカナを漢字になおし、一字だけ書きなさい。

1 チョ金箱
2 教ソク本
3 標ジュン的
4 持キュウ戦
5 好成セキ
6 無条ケン
7 共ハン者
8 ザッ貨店
9 国サイ化
10 ボウ風林

1	2
3	4
5	6
7	8
9	10

(七) 2×10 /20

後の□の中のひらがなを漢字になおして、対義語（意味が反対や対（つい）になることば）と、類義語（意味がよくにたことば）を書きなさい。□の中のひらがなは一度だけ使い、漢字一字を書きなさい。

対義語

往路―（1）路
求人―求（2）
雨天―（3）晴
用心―油（4）
精神―物（5）

類義語

建築―建（6）
材料―（7）材
知力―知（8）
演説―（9）演
基本―根（10）

かい　しつ　しょく　だん　ふく

かん　こう　しき　せつ　そ

1	2	3	4	5	6	7	8	9	10

(八) 2×6 /12

上の読みの漢字を□の中から選び、（　）にあてはめて**じゅく語**を作りなさい。答えは**記号**で書きなさい。

ドウ	講（1）・指（2）・（3）貨
ヒョウ	世（4）・投（5）・目（6）

ア 氷　イ 表　ウ 童　エ 同　オ 働　カ 標
キ 堂　ク 銅　ケ 導　コ 票　サ 評　シ 氷

(九) 2×10 /20

漢字の読みには**音**と**訓**があります。次の**じゅく語の読み**は□の中のどの組み合わせになっていますか。ア〜エの**記号**で答えなさい。

ア 音と音　イ 音と訓
ウ 訓と訓　エ 訓と音

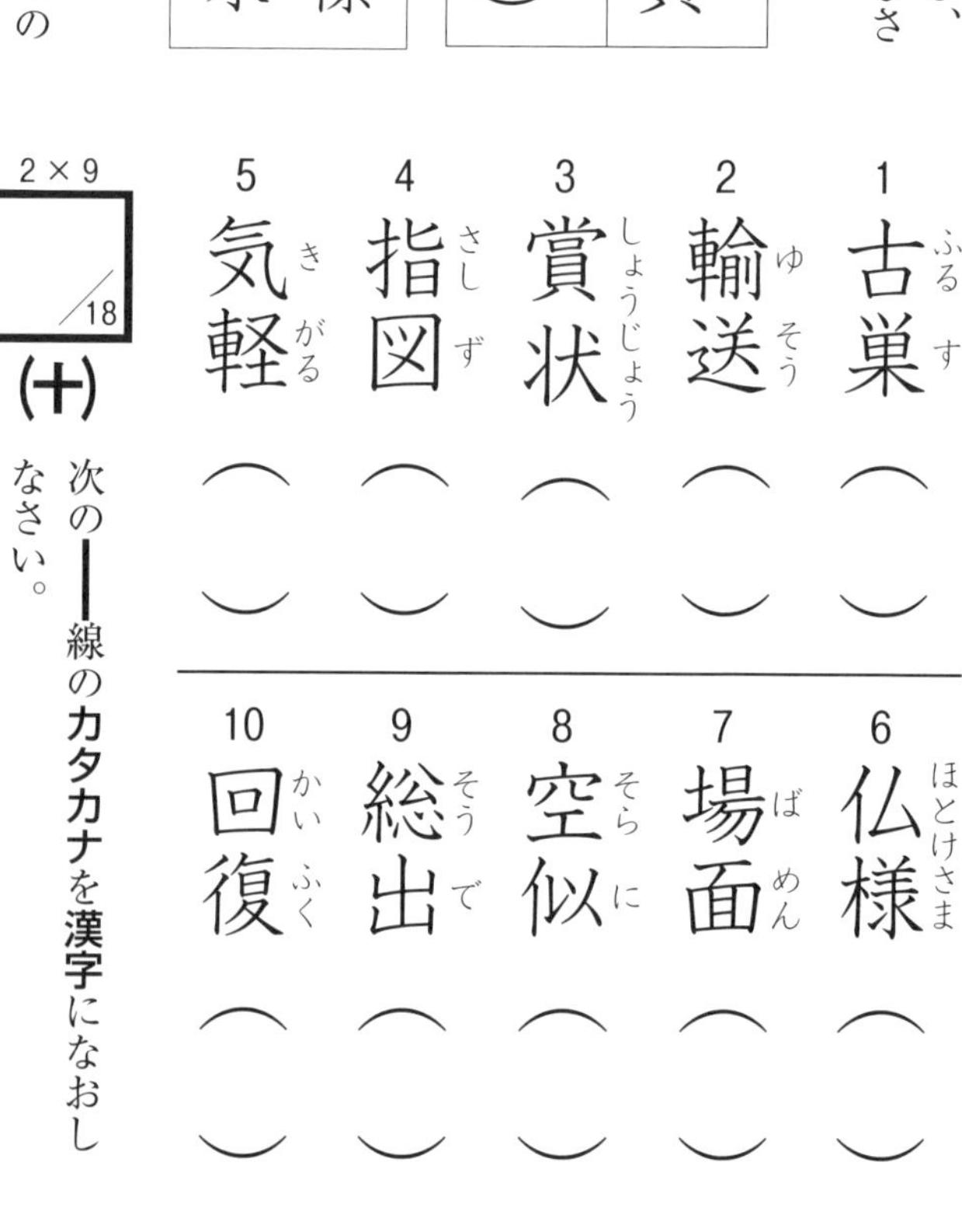

1 古巣（ふるす）（　）
2 輸送（ゆそう）（　）
3 賞状（しょうじょう）（　）
4 指図（さしず）（　）
5 気軽（きがる）（　）
6 仏様（ほとけさま）（　）
7 場面（ばめん）（　）
8 空似（そらに）（　）
9 総出（そうで）（　）
10 回復（かいふく）（　）

(十) 2×9 /18

次の**━━**線の**カタカナ**を**漢字**になおしなさい。

1 うれしい気持ちが態度に**アラワ**れる。（　）
2 暗やみから人が**アラワ**れる。（　）
3 国の**ドク**立記念日を祝う。（　）
4 食中**ドク**で病院に運ばれた。（　）

第16回

5 心**キョウ**の変化があった。（　　）
6 遊**キョウ**にお金をつかう。（　　）
7 祖父母は今も健**ザイ**だ。（　　）
8 無**ザイ**をうったえ続ける。（　　）
9 親から多額の**ザイ**産を受けつぐ。（　　）

2×20
/40

(十)

次の——線の**カタカナ**を**漢字**になおしなさい。

1 アイロンで**ヌノメ**を整える。（　　）
2 だんだん雨の強さが**マ**してきた。（　　）
3 **ギジュツ**の進歩がめざましい。（　　）
4 自家**セイ**のジャムをつくる。（　　）
5 遊園地で**ユメ**のような時間を過ごした。（　　）
6 駅前のパン屋に立ち**ヨ**る。（　　）
7 **ギャク**の立場になって友人のことを思う。（　　）
8 参加者は百人**アマ**りだった。（　　）
9 浮世絵（うきよえ）は**ハンガ**の物もある。（　　）
10 兄に**マカ**せておけば心配ない。（　　）
11 常に正しい**ハンダン**をする。（　　）
12 心を**ユル**せる友達がいる。（　　）
13 どう**セッ**すべきかわからない。（　　）
14 **キョウセイ**的に参加させられる。（　　）
15 竜（りゅう）は**ソウゾウ**上の生き物だ。（　　）
16 教授としての**ツト**めをはたす。（　　）
17 正式な名は**リャク**して示す。（　　）
18 失敗した**ゲンイン**を調べる。（　　）
19 おやつに**サクラ**もちを食べた。（　　）
20 **ソン**して得取れ

6級配当漢字表

◀漢字の読みのカタカナは音読み、ひらがなは訓読みで赤色の字は送りがなです。（　）の中は4級以上の検定に出る読みで、6級には出題されません。5級以上の配当漢字には色がついています。（　）の中にある用例の漢字は特別な読みです。

漢字	画数	読み	部首	用例
圧	5画	アツ	土（つち）	圧力（あつりょく）・圧勝（あっしょう）・気圧（きあつ）
囲	7画	イ／かこむ／かこう	口（くにがまえ）	周囲（しゅうい）・包囲（ほうい）
移	11画	イ／うつる／うつす	禾（のぎへん）	移動（いどう）・転移（てんい）・移り気（うつりぎ）
因	6画	イン／（よる）	口（くにがまえ）	原因（げんいん）・勝因（しょういん）・因子（いんし）
永	5画	エイ／ながい	水（みず）	永久（えいきゅう）・永住（えいじゅう）・永続き（ながつづき）
営	12画	エイ／いとなむ	⺍（つかんむり）	営業（えいぎょう）・経営（けいえい）・冬の営み（ふゆのいとなみ）
衛	16画	エイ	行（ぎょうがまえ・ゆきがまえ）	衛生（えいせい）・衛星（えいせい）・自衛（じえい）
易	8画	エキ／イ／やさしい	日（ひ）	易者（えきしゃ）・安易（あんい）・易しい本（やさしいほん）
益	10画	エキ／（ヤク）	皿（さら）	利益（りえき）・益虫（えきちゅう）・国益（こくえき）
液	11画	エキ	氵（さんずい）	液体（えきたい）・血液（けつえき）・胃液（いえき）
演	14画	エン	氵（さんずい）	演技（えんぎ）・演説（えんぜつ）・講演（こうえん）
応	7画	オウ／こたえる	心（こころ）	応答（おうとう）・期待に応える（きたいにこたえる）・（反応）（はんのう）
往	8画	オウ	彳（ぎょうにんべん）	往来（おうらい）・往復（おうふく）・立往生（たちおうじょう）

10画	5画	6画	8画	8画	12画	7画	13画
桜	可	仮	価	河	過	快	解
(オウ) さくら	カ	カ (ケ) かり	カ (あたい)	カ かわ	カ すぎる すごす (あやまつ) (あやまち)	カイ こころよい	カイ (ゲ) とく とかす とける
部首 木 きへん	部首 口 くち	部首 亻 にんべん	部首 亻 にんべん	部首 氵 さんずい	部首 辶 しんにょう しんにゅう	部首 忄 りっしんべん	部首 角 つのへん
桜色(さくらいろ)・桜(さくら)もち・山桜(やまざくら)	可能(かのう)・可決(かけつ)・許可(きょか)	仮名(かな)・仮定(かてい)・仮(かり)の宿(やど)	価格(かかく)・地価(ちか)・原価(げんか)	河口(かこう)・河辺(かわべ)・(河原(かわら))	過去(かこ)・通過(つうか)・過(す)ぎた日(ひ)	快感(かいかん)・明快(めいかい)・快(こころよ)い風(かぜ)	解決(かいけつ)・正解(せいかい)・雪解(ゆきど)け

10画	15画	18画	5画	13画	14画	11画	9画
格	確	額	刊	幹	慣	眼	紀
カク (コウ)	カク たしか たしかめる	ガク ひたい	カン	カン みき	カン なれる ならす	ガン (ゲン) (まなこ)	キ
部首 木 きへん	部首 石 いしへん	部首 頁 おおがい	部首 刂 りっとう	部首 干 かん いちじゅう	部首 忄 りっしんべん	部首 目 めへん	部首 糸 いとへん
格式(かくしき)・格調(かくちょう)・合格(ごうかく)	確信(かくしん)・明確(めいかく)・確(たし)かな情報(じょうほう)	額面(がくめん)・金額(きんがく)・ねこの額(ひたい)	刊行(かんこう)・朝刊(ちょうかん)・休刊(きゅうかん)	幹事(かんじ)・根幹(こんかん)・太(ふと)い幹(みき)	慣用(かんよう)・習慣(しゅうかん)・足慣(あしな)らし	眼科(がんか)・主眼(しゅがん)・(眼鏡(めがね))	紀元(きげん)・世紀(せいき)・風紀(ふうき)

漢字	画数	読み	部首	用例
基	11画	キ (もと) (もとい)	土 つち	基本（きほん）・基点（きてん）・基地（きち）
寄	11画	キ よる よせる	宀 うかんむり	寄付（きふ）・寄生（きせい）・寄り道（よりみち）
規	11画	キ	見 みる	規格（きかく）・規則（きそく）・新規（しんき）
喜	12画	キ よろこぶ	口 くち	喜色（きしょく）・悲喜（ひき）・大喜び（おおよろこび）
技	7画	ギ (わざ)	扌 てへん	技師（ぎし）・技術（ぎじゅつ）・特技（とくぎ）
義	13画	ギ	羊 ひつじ	義務（ぎむ）・義父（ぎふ）・意義（いぎ）
逆	9画	ギャク さか さからう	辶 しんにょう しんにゅう	逆転（ぎゃくてん）・反逆（はんぎゃく）・逆立ち（さかだち）
久	3画	キュウ (ク) ひさしい	ノ の はらいぼう	永久（えいきゅう）・持久（じきゅう）・久久（ひさびさ）

漢字	画数	読み	部首	用例
旧	5画	キュウ	日 ひ	旧式（きゅうしき）・旧年（きゅうねん）・旧友（きゅうゆう）
救	11画	キュウ すくう	攵 のぶん ぼくづくり	救出（きゅうしゅつ）・救助（きゅうじょ）・救急（きゅうきゅう）
居	8画	キョ いる	尸 かばね しかばね	居住（きょじゅう）・新居（しんきょ）・居間（いま）
許	11画	キョ ゆるす	言 ごんべん	許可（きょか）・特許（とっきょ）・心を許す（こころをゆるす）
境	14画	キョウ (ケイ) さかい	土 つちへん	境界（きょうかい）・心境（しんきょう）・境目（さかいめ）
均	7画	キン	土 つちへん	均一（きんいつ）・均等（きんとう）・平均（へいきん）
禁	13画	キン	示 しめす	禁止（きんし）・禁物（きんもつ）・解禁（かいきん）
句	5画	ク	口 くち	句点（くてん）・語句（ごく）・名句（めいく）

漢字	画数	読み	部首	用例
型	9画	ケイ かた	土 つち	典型(てんけい)・型紙(かたがみ)・大型(おおがた)
経	11画	ケイ (キョウ) へる	糸 いとへん	経験(けいけん)・東経(とうけい)・時(とき)を経(へ)る
潔	15画	ケツ (いさぎよい)	氵 さんずい	潔白(けっぱく)・高潔(こうけつ)・清潔(せいけつ)
件	6画	ケン	亻 にんべん	件数(けんすう)・事件(じけん)・用件(ようけん)
険	11画	ケン けわしい	阝 こざとへん	険悪(けんあく)・保険(ほけん)・険(けわ)しい山(やま)
検	12画	ケン	木 きへん	検定(けんてい)・検事(けんじ)・点検(てんけん)
限	9画	ゲン かぎる	阝 こざとへん	限度(げんど)・期限(きげん)・力(ちから)の限(かぎ)り
現	11画	ゲン あらわれる あらわす	王 おうへん たまへん	現在(げんざい)・実現(じつげん)・正体(しょうたい)を現(あらわ)す
減	12画	ゲン へる へらす	氵 さんずい	減収(げんしゅう)・半減(はんげん)・体重(たいじゅう)が減(へ)る
故	9画	コ (ゆえ)	攵 のぶん ぼくづくり	故人(こじん)・故意(こい)・事故(じこ)
個	10画	コ	亻 にんべん	個人(こじん)・個別(こべつ)・数個(すうこ)
護	20画	ゴ	言 ごんべん	護身(ごしん)・愛護(あいご)・保護(ほご)
効	8画	コウ きく	力 ちから	効果(こうか)・時効(じこう)・薬(くすり)が効(き)く
厚	9画	(コウ) あつい	厂 がんだれ	厚紙(あつがみ)・厚着(あつぎ)・厚手(あつで)
耕	10画	コウ たがやす	耒 すきへん らいすき	耕作(こうさく)・農耕(のうこう)・畑(はたけ)を耕(たがや)す
航	10画	コウ	舟 ふねへん	航海(こうかい)・欠航(けっこう)・航空機(こうくうき)

漢字	画数	読み	部首	用例
鉱	13画	コウ	金 かねへん	鉱山（こうざん）・鉱石（こうせき）・鉄鉱（てっこう）
構	14画	コウ かまえる かまう	木 きへん	構成（こうせい）・結構（けっこう）・建物（たてもの）の構（かま）え
興	16画	コウ キョウ （おこる） （おこす）	臼 うす	興業（こうぎょう）・興味（きょうみ）・余興（よきょう）
講	17画	コウ	言 ごんべん	講義（こうぎ）・講習（こうしゅう）・受講（じゅこう）
告	7画	コク （つげる）	口 くち	告白（こくはく）・広告（こうこく）・告（つ）げ口（ぐち）
混	11画	コン こむ まじる まざる まぜる	氵 さんずい	混合（こんごう）・混（こ）みあう・混（ま）ざり物（もの）
査	9画	サ	木 き	査定（さてい）・検査（けんさ）・調査（ちょうさ）
再	6画	サイ サ ふたたび	冂 どうがまえ けいがまえ まきがまえ	再会（さいかい）・再来年（さらいねん）・再（ふたた）び会（あ）う
災	7画	サイ （わざわい）	火 ひ	災害（さいがい）・火災（かさい）・戦災（せんさい）
妻	8画	サイ つま	女 おんな	妻子（さいし）・愛妻家（あいさいか）・人妻（ひとづま）
採	11画	サイ とる	扌 てへん	採取（さいしゅ）・採決（さいけつ）・血（ち）を採（と）る
際	14画	サイ （きわ）	阝 こざとへん	際限（さいげん）・交際（こうさい）・国際（こくさい）
在	6画	ザイ ある	土 つち	在学（ざいがく）・健在（けんざい）・在（あ）りし日（ひ）
財	10画	ザイ （サイ）	貝 かいへん	財産（ざいさん）・家財（かざい）・文化財（ぶんかざい）
罪	13画	ザイ つみ	罒 あみがしら あみめ よこめ	罪悪（ざいあく）・無罪（むざい）・罪作（つみつく）り
殺	10画	サツ （サイ） （セツ） ころす	殳 るまた ほこづくり	殺気（さっき）・殺風景（さっぷうけい）・見殺（みごろ）し

漢字	画数	読み	部首	用例
雑	14画	ザツ・ゾウ	隹（ふるとり）	雑音（ざつおん）・複雑（ふくざつ）・雑木林（ぞうきばやし）
酸	14画	サン・（すい）	酉（とりへん）	酸味（さんみ）・酸化（さんか）・炭酸（たんさん）
賛	15画	サン	貝（かい・こがい）	賛美（さんび）・賛成（さんせい）・協賛（きょうさん）
士	3画	シ	士（さむらい）	力士（りきし）・士気（しき）・飛行士（ひこうし）
支	4画	シ・ささえる	支（し）	支持（しじ）・収支（しゅうし）・家計（かけい）を支（ささ）える
史	5画	シ	口（くち）	史実（しじつ）・史上（しじょう）・歴史（れきし）
志	7画	シ・こころざす・こころざし	心（こころ）	大志（たいし）・画家（がか）を志（こころざ）す・志（こころざし）
枝	8画	（シ）・えだ	木（きへん）	枝葉（えだは）・枝道（えだみち）・小枝（こえだ）
師	10画	シ	巾（はば）	師弟（してい）・教師（きょうし）・医師（いし）
資	13画	シ	貝（かい・こがい）	資金（しきん）・資格（しかく）・学資（がくし）
飼	13画	シ・かう	飠（しょくへん）	飼育（しいく）・飼料（しりょう）・飼（か）い犬（いぬ）
示	5画	ジ・（シ）・しめす	示（しめす）	指示（しじ）・明示（めいじ）・見本（みほん）を示（しめ）す
似	7画	（ジ）・にる	亻（にんべん）	似顔絵（にがおえ）・似（に）た者（もの）・父似（ちちに）
識	19画	シキ	言（ごんべん）	識別（しきべつ）・意識（いしき）・知識（ちしき）
質	15画	シツ・（シチ）・（チ）	貝（かい・こがい）	質問（しつもん）・性質（せいしつ）・体質（たいしつ）
舎	8画	シャ	舌（した）	校舎（こうしゃ）・宿舎（しゅくしゃ）・駅舎（えきしゃ）

謝（17画）
シャ（あやまる）
部首 言 ごんべん
謝礼（しゃれい）・謝意（しゃい）・感謝（かんしゃ）

授（11画）
ジュ（さずける）（さずかる）
部首 扌 てへん
授業（じゅぎょう）・授賞（じゅしょう）・伝授（でんじゅ）

修（10画）
シュウ（シュ）おさめる おさまる
部首 亻 にんべん
修学（しゅうがく）・研修（けんしゅう）・身（み）を修（おさ）める

述（8画）
ジュツ のべる
部首 辶 しんにょう しんにゅう
述語（じゅつご）・記述（きじゅつ）・礼（れい）を述（の）べる

術（11画）
ジュツ
部首 行 ぎょうがまえ ゆきがまえ
術後（じゅつご）・医術（いじゅつ）・話術（わじゅつ）

準（13画）
ジュン
部首 氵 さんずい
準備（じゅんび）・基準（きじゅん）・水準（すいじゅん）

序（7画）
ジョ
部首 广 まだれ
序文（じょぶん）・序曲（じょきょく）・順序（じゅんじょ）

招（8画）
ショウ まねく
部首 扌 てへん
招待（しょうたい）・招集（しょうしゅう）・客（きゃく）を招（まね）く

証（12画）
ショウ
部首 言 ごんべん
証人（しょうにん）・証明（しょうめい）・実証（じっしょう）

象（12画）
ショウ ゾウ
部首 豕 ぶた いのこ
気象（きしょう）・対象（たいしょう）・象使（ぞうつか）い

賞（15画）
ショウ
部首 貝 かい こがい
賞金（しょうきん）・入賞（にゅうしょう）・賞状（しょうじょう）

条（7画）
ジョウ
部首 木 き
条件（じょうけん）・条約（じょうやく）・信条（しんじょう）

状（7画）
ジョウ
部首 犬 いぬ
状態（じょうたい）・状勢（じょうせい）・現状（げんじょう）

常（11画）
ジョウ つね（とこ）
部首 巾 はば
常時（じょうじ）・日常（にちじょう）・常常（つねづね）

情（11画）
ジョウ（セイ）なさけ
部首 忄 りっしんべん
情報（じょうほう）・友情（ゆうじょう）・情（なさ）け深（ぶか）い

織（18画）
シキ（ショク）おる
部首 糸 いとへん
組織（そしき）・織物（おりもの）・毛織（けお）り

チカラをつけよう

職	制	性	政	勢	精	製	税
18画	8画	8画	9画	13画	14画	14画	12画
ショク	セイ	セイ（ショウ）	セイ（ショウ）（まつりごと）	セイ いきおい	セイ（ショウ）	セイ	ゼイ
部首 耳 みみへん	部首 刂 りっとう	部首 忄 りっしんべん	部首 攵 のぶん ぼくづくり	部首 力 ちから	部首 米 こめへん	部首 衣 ころも	部首 禾 のぎへん
職員（しょくいん）・職場（しょくば）・役職（やくしょく）	制定（せいてい）・制止（せいし）・体制（たいせい）	性格（せいかく）・性別（せいべつ）・知性（ちせい）	政治（せいじ）・行政（ぎょうせい）・家政（かせい）	勢力（せいりょく）・運勢（うんせい）・火（ひ）の勢（いきお）い	精気（せいき）・精力（せいりょく）・森（もり）の精（せい）	製作（せいさく）・製品（せいひん）・手製（てせい）	税金（ぜいきん）・税収（ぜいしゅう）・国税（こくぜい）

責	績	接	設	絶	祖	素	総
11画	17画	11画	11画	12画	9画	10画	14画
セキ せめる	セキ	セツ（つぐ）	セツ もうける	ゼツ たえる たやす たつ	ソ	ソ（ス）	ソウ
部首 貝 かい こがい	部首 糸 いとへん	部首 扌 てへん	部首 言 ごんべん	部首 糸 いとへん	部首 ネ しめすへん	部首 糸 いと	部首 糸 いとへん
責任（せきにん）・自責（じせき）・責（せ）め苦（く）	成績（せいせき）・業績（ぎょうせき）・実績（じっせき）	接近（せっきん）・接続（せつぞく）・面接（めんせつ）	設計（せっけい）・建設（けんせつ）・席（せき）を設（もう）ける	絶対（ぜったい）・気絶（きぜつ）・命（いのち）を絶（た）つ	祖父（そふ）・祖国（そこく）・元祖（がんそ）	素質（そしつ）・素材（そざい）・要素（ようそ）	総会（そうかい）・総理（そうり）・総合（そうごう）

画数	漢字	読み	部首	用例
10画	造	ゾウ・つくる	辶 しんにょう／しんにゅう	造形(ぞうけい)・人造(じんぞう)・酒造(さけづく)り
14画	像	ゾウ	亻 にんべん	映像(えいぞう)・仏像(ぶつぞう)・想像(そうぞう)
14画	増	ゾウ・ます・ふえる・ふやす	土 つちへん	増加(ぞうか)・急増(きゅうぞう)・水増(みずま)し
9画	則	ソク	刂 りっとう	会則(かいそく)・規則(きそく)・法則(ほうそく)
12画	測	ソク・はかる	氵 さんずい	測定(そくてい)・予測(よそく)・血圧(けつあつ)を測(はか)る
12画	属	ゾク	尸 かばね／しかばね	属国(ぞっこく)・所属(しょぞく)・金属(きんぞく)
11画	率	(ソツ)・リツ・ひきいる	玄 げん	確率(かくりつ)・利率(りりつ)・兵(へい)を率(ひき)いる
13画	損	ソン・(そこなう)・(そこねる)	扌 てへん	損金(そんきん)・損害(そんがい)・破損(はそん)
12画	貸	(タイ)・かす	貝 かい／こがい	貸家(かしや)・貸(か)しを作(つく)る
14画	態	タイ	心 こころ	態度(たいど)・実態(じったい)・状態(じょうたい)
6画	団	ダン・(トン)	囗 くにがまえ	団結(だんけつ)・団地(だんち)・集団(しゅうだん)
11画	断	ダン・(たつ)・ことわる	斤 おのづくり	断水(だんすい)・無断(むだん)・断(ことわ)りの手紙(てがみ)
16画	築	チク・きずく	⺮ たけかんむり	改築(かいちく)・建築(けんちく)・富(とみ)を築(きず)く
12画	貯	チョ	貝 かいへん	貯金(ちょきん)・貯水池(ちょすいち)
11画	張	チョウ・はる	弓 ゆみへん	出張(しゅっちょう)・主張(しゅちょう)・見張(みは)り
11画	停	テイ	亻 にんべん	停止(ていし)・停車(ていしゃ)・停電(ていでん)

チカラをつけよう

画数	漢字	読み	部首	用例
12画	提	テイ (さげる)	扌 てへん	提案(ていあん)・提示(ていじ)・前提(ぜんてい)
12画	程	テイ (ほど)	禾 のぎへん	程度(ていど)・日程(にってい)・規程(きてい)
14画	適	テキ	辶 しんにょう しんにゅう	適温(てきおん)・適当(てきとう)・最適(さいてき)
12画	統	トウ (すべる)	糸 いとへん	統一(とういつ)・統治(とうち)・伝統(でんとう)
11画	堂	ドウ	土 つち	食堂(しょくどう)・本堂(ほんどう)・議事堂(ぎじどう)
14画	銅	ドウ	金 かねへん	銅貨(どうか)・銅線(どうせん)・分銅(ふんどう)
15画	導	ドウ みちびく	寸 すん	導入(どうにゅう)・指導(しどう)・生徒(せいと)を導(みちび)く
11画	得	トク える (うる)	彳 ぎょうにんべん	得意(とくい)・得点(とくてん)・心得(こころえ)
8画	毒	ドク	毋 なかれ	中毒(ちゅうどく)・消毒(しょうどく)・食中毒(しょくちゅうどく)
9画	独	ドク ひとり	犭 けものへん	独学(どくがく)・独身(どくしん)・独(ひと)り身(み)
6画	任	ニン まかせる まかす	亻 にんべん	任務(にんむ)・責任(せきにん)・仕事(しごと)を任(まか)す
16画	燃	ネン もえる もやす もす	火 ひへん	燃料(ねんりょう)・不燃(ふねん)・火(ひ)が燃(も)える
10画	能	ノウ	肉 にく	能力(のうりょく)・本能(ほんのう)・能面(のうめん)
10画	破	ハ やぶる やぶれる	石 いしへん	破格(はかく)・読破(どくは)・型破(かたやぶ)り
5画	犯	ハン (おかす)	犭 けものへん	犯行(はんこう)・犯人(はんにん)・初犯(しょはん)
7画	判	ハン バン	刂 りっとう	判決(はんけつ)・評判(ひょうばん)・大判(おおばん)

版（8画）
ハン
部首：片（かたへん）
版版版版版版
版画（はんが）・木版（もくはん）・再版（さいはん）

比（4画）
ヒ　くらべる
部首：比（ならびひ・くらべる）
比比比比
比重（ひじゅう）・対比（たいひ）・力比べ（ちからくらべ）

肥（8画）
ヒ　こえる　こえ　こやす　こやし
部首：月（にくづき）
肥肥肥肥肥肥
肥料（ひりょう）・肥だめ（こえ）・肥やし（こ）

非（8画）
ヒ
部首：非（あらず・ひ）
非非非非非非
非行（ひこう）・非運（ひうん）・非番（ひばん）

費（12画）
ヒ　（ついやす）　（ついえる）
部首：貝（かい・こがい）
費費費費費費
費用（ひよう）・消費（しょうひ）・食費（しょくひ）

備（12画）
ビ　そなえる　そなわる
部首：亻（にんべん）
備備備備備備
備品（びひん）・完備（かんび）・備え付け（そなえつけ）

評（12画）
ヒョウ
部首：言（ごんべん）
評評評評評評
評価（ひょうか）・評判（ひょうばん）・好評（こうひょう）

貧（11画）
（ヒン）　ビン　まずしい
部首：貝（かい・こがい）
貧貧貧貧貧貧
貧ぼう（びんぼう）・貧しい人（まずしいひと）

布（5画）
フ　ぬの
部首：巾（はば）
布布布布布
布告（ふこく）・毛布（もうふ）・布地（ぬのじ）

婦（11画）
フ
部首：女（おんなへん）
婦婦婦婦婦婦
婦人（ふじん）・主婦（しゅふ）・新婦（しんぷ）

武（8画）
ブ　ム
部首：止（とめる）
武武武武武武
武士（ぶし）・武器（ぶき）・武者人形（むしゃにんぎょう）

復（12画）
フク
部首：彳（ぎょうにんべん）
復復復復復復
復活（ふっかつ）・復習（ふくしゅう）・回復（かいふく）

複（14画）
フク
部首：衤（ころもへん）
複複複複複複
複合（ふくごう）・複数（ふくすう）・複製（ふくせい）

仏（4画）
ブツ　ほとけ
部首：亻（にんべん）
仏仏仏
仏教（ぶっきょう）・仏像（ぶつぞう）・生き仏（いきぼとけ）

粉（10画）
フン　こ　こな
部首：米（こめへん）
粉粉粉粉粉粉
粉末（ふんまつ）・小麦粉（こむぎこ）・粉薬（こなぐすり）

編（15画）
ヘン　あむ
部首：糸（いとへん）
編編編編編編
編集（へんしゅう）・長編（ちょうへん）・編み物（あみもの）

画数	漢字	読み	部首	用例
5画	弁	ベン	廾 こまぬき・にじゅうあし	弁明(べんめい)・弁当(べんとう)・安全弁(あんぜんべん)
9画	保	ホ たもつ	亻 にんべん	保安(ほあん)・保険(ほけん)・温度(おんど)を保(たも)つ
13画	墓	ボ はか	土 つち	墓所(ぼしょ)・墓地(ぼち)・墓参(はかまい)り
12画	報	ホウ (むくいる)	土 つち	報告(ほうこく)・報道(ほうどう)・電報(でんぽう)
13画	豊	ホウ ゆたか	豆 まめ	豊富(ほうふ)・豊作(ほうさく)・豊(ゆた)かな土地(とち)
7画	防	ボウ ふせぐ	阝 こざとへん	防止(ぼうし)・消防(しょうぼう)・風(かぜ)を防(ふせ)ぐ
12画	貿	ボウ	貝 かい・こがい	貿易(ぼうえき)・国際貿易(こくさいぼうえき)
15画	暴	ボウ (バク) (あばく) あばれる	日 ひ	暴力(ぼうりょく)・乱暴(らんぼう)・暴(あば)れ馬(うま)
10画	脈	ミャク	月 にくづき	動脈(どうみゃく)・山脈(さんみゃく)・文脈(ぶんみゃく)
11画	務	ム つとめる つとまる	力 ちから	事務(じむ)・務(つと)めを果(は)たす
13画	夢	ム ゆめ	夕 た・ゆうべ	夢中(むちゅう)・夢想(むそう)・初夢(はつゆめ)
9画	迷	(メイ) まよう	辶 しんにょう・しんにゅう	道(みち)に迷(まよ)う・(迷子(まいご))
14画	綿	メン わた	糸 いとへん	綿花(めんか)・海綿(かいめん)・綿雲(わたぐも)
16画	輸	ユ	車 くるまへん	輸入(ゆにゅう)・輸送(ゆそう)・運輸(うんゆ)
7画	余	ヨ あまる あます	人 ひとやね	余力(よりょく)・残余(ざんよ)・お金(かね)が余(あま)る
10画	容	ヨウ	宀 うかんむり	容器(ようき)・内容(ないよう)・美容(びよう)

略	留	領	歴	計	10～7級までの合計	累計
11画	10画	14画	14画			
リャク	リュウ ル とめる とまる	リョウ	レキ			
部首 田 たへん	部首 田 た	部首 頁 おおがい	部首 止 とめる			
略図・計略・戦略	留学・留守・留め金	領海・要領・大統領	歴史・歴代・歴然	一九三字	六四二字	八三五字

まちがえやすい 筆順／画数

筆順（書き順）には「上から下へ、左から右へ」などの決まりがありますが、決まりからはずれる特別な書き方をする漢字があるので注意が必要です。また、「減」や「武」などは、右かたの点を書き忘れないこと。画数の多い漢字（護・識など）や「えんにょう（廴）・しんにょう（辶）（三画）」「こざとへん（阝）（三画）」「いとへん（糸）（六画）」「ゆみへん（弓）（三画）」などの部首は数え間違えないようにしましょう。

総画数	漢字	
7画	快	3画目の書き順に注意！
9画	逆	しんにょう・しんにゅうは3画
20画	護	15（たて棒）つくりの書き順に注意

総画数	漢字	
13画	罪	6画目、10画目に注意。たてが先
7画	状	1画目、たて　右かたの点を忘れない
11画	常	1画目に注意
11画	張	4画目、たてが先　ゆみへんは3画
8画	版	へんの書き順に注意！
8画	非	1画目、5画目はたてが先
5画	布	1画目
12画	報	9画目　9画目は1画。書き順に注意！

チカラをつけよう

特別な読み方

明日　あす
大人　おとな
母さん　かあさん
河原・川原　かわら
昨日　きのう
今日　きょう
果物　くだもの
今朝　けさ
景色　けしき
今年　ことし
清水　しみず
上手　じょうず
七夕　たなばた
一日　ついたち
手伝う　てつだう

父さん　とうさん
時計　とけい
友達　ともだち
兄さん　にいさん
姉さん　ねえさん
博士　はかせ
二十日　はつか
一人　ひとり
二人　ふたり
二日　ふつか
下手　へた
部屋　へや
迷子　まいご
真っ赤　まっか
真っ青　まっさお
眼鏡　めがね
八百屋　やおや

書きまちがえやすい漢字

（ ）の中が正しい漢字

初（初）　包（包）　夢（夢）
差（差）　養（養）　節（節）
害（害）　最（最）　輪（輪）
堂（堂）　覚（覚）
犯（犯）　質（質）　舎（舎）
造（造）　報（報）　政（政）
飼（飼）

重要な熟語（じゅくご）

熟語とは、二字以上の漢字が組み合わされているものです。漢字の組み立て方を理解すると熟語を理解するのに役立ちます。

ア 反対または対応の意味を表す字を重ねたもの。

ポイント 「大小＝大きい、小さい」のように物のようすを表す漢字を組み合わせたものや、「集散＝集まる、散る」のように動作を表す漢字を組み合わせたもの、「男女＝男と女」のように物の名を表す漢字を組み合わせたものがあります。

因果（いんが）　往復（おうふく）　加減（かげん）

苦楽（くらく）　軽重（けいじゅう・けいちょう）　高低（こうてい）

自他（じた）　集散（しゅうさん）　授受（じゅじゅ）　出欠（しゅっけつ）　勝敗（しょうはい）　新旧（しんきゅう）　増減（ぞうげん）　損得（そんとく）

断続（だんぞく）　単複（たんぷく）　昼夜（ちゅうや）　当落（とうらく）　得失（とくしつ）　売買（ばいばい）　発着（はっちゃく）　悲喜（ひき）　夫妻（ふさい）　明暗（めいあん）　利害（りがい）

イ 同じような意味の漢字を重ねたもの。

ポイント 同じような意味の漢字なので、どちらかの漢字の意味さえわかれば、熟語（じゅくご）の意味もわかります。

安易（あんい）　移転（いてん）　移動（いどう）　衣服（いふく）　永遠（えいえん）　永久（えいきゅう）　応答（おうとう）　絵画（かいが）

家屋（かおく）　学習（がくしゅう）　身体（からだ）　岩石（がんせき）　願望（がんぼう）　寒冷（かんれい）　規則（きそく）　希望（きぼう）

基本（きほん）　救助（きゅうじょ）　競争（きょうそう）　居住（きょじゅう）　禁止（きんし）　均等（きんとう）　計測（けいそく）　言語（げんご）　検査（けんさ）　建築（けんちく）　採取（さいしゅ）

飼育（しいく）　指示（しじ）　志望（しぼう）　祝賀（しゅくが）　省略（しょうりゃく）　清潔（せいけつ）　製作（せいさく）　生産（せいさん）　製造（せいぞう）　切断（せつだん）　戦争（せんそう）

増加（ぞうか）　損失（そんしつ）　単独（たんどく）　通過（つうか）　停止（ていし）　道路（どうろ）　破損（はそん）　表現（ひょうげん）　包囲（ほうい）　豊富（ほうふ）　利益（りえき）

ウ 上の字が下の字の意味を説明(修飾(しゅうしょく))しているもの。

ポイント 「古本＝古い本」「楽勝＝楽に勝つ」のように、上の字から読むと意味がわかる熟語です。

悪夢(あくむ)　永住(えいじゅう)　快晴(かいせい)　快走(かいそう)　河口(かこう)　仮説(かせつ)　眼科(がんか)　気圧(きあつ)

旧式(きゅうしき)　急増(きゅうぞう)　旧友(きゅうゆう)　県境(けんざかい)　小枝(こえだ)　個室(こしつ)　国境(こっきょう)　最適(さいてき)

罪人(ざいにん)　酸性(さんせい)　酸味(さんみ)　新刊(しんかん)　新設(しんせつ)　水圧(すいあつ)　大河(たいが)　大群(たいぐん)　大仏(だいぶつ)　朝刊(ちょうかん)　銅貨(どうか)

銅線(どうせん)　銅像(どうぞう)　特技(とくぎ)　人情(にんじょう)　初夢(はつゆめ)　悲報(ひほう)　品質(ひんしつ)　物価(ぶっか)　墓地(ぼち)　木造(もくぞう)　友情(ゆうじょう)

エ 下の字から上の字へ返って読むと意味がわかるもの。

ポイント 「作文」＝「文を作る」、「読書」＝「書を読む」のように、「下の漢字を（に）上の漢字する」という関係になっている熟語(じゅくご)です。

営業(えいぎょう)　開会(かいかい)　改札(かいさつ)　改心(かいしん)　加速(かそく)　加熱(かねつ)　寄港(きこう)

帰港(きこう)　帰国(きこく)　休刊(きゅうかん)　休職(きゅうしょく)　求職(きゅうしょく)　挙手(きょしゅ)　禁漁(きんりょう)

決心(けっしん)　検温(けんおん)　減税(げんぜい)　護身(ごしん)　在学(ざいがく)　採血(さいけつ)　採光(さいこう)　在室(ざいしつ)　指名(しめい)　謝罪(しゃざい)　終業(しゅうぎょう)

消火(しょうか)　消灯(しょうとう)　製紙(せいし)　製鉄(せいてつ)　製本(せいほん)　絶食(ぜっしょく)　造園(ぞうえん)　増税(ぞうぜい)　造船(ぞうせん)　断水(だんすい)　断熱(だんねつ)

着席(ちゃくせき)　着陸(ちゃくりく)　転居(てんきょ)　読書(どくしょ)　入団(にゅうだん)　防音(ぼうおん)　防火(ぼうか)　防災(ぼうさい)　防水(ぼうすい)　防犯(ぼうはん)　保温(ほおん)

重要な対義語／類義語

対義語・類義語はすべて二字熟語（じゅくご）から出題されます。漢字自体の意味を理解しておくと、熟語（じゅくご）の意味も見当がつくようになります。また、書き取り問題をかねているので、正しく書けるように練習しましょう。

対義語

- 回答（かいとう）↔質問（しつもん）
- 合唱（がっしょう）↔独唱（どくしょう）
- 希望（きぼう）↔絶望（ぜつぼう）
- 基本（きほん）↔応用（おうよう）
- 共同（きょうどう）↔単独（たんどく）
- 許可（きょか）↔禁止（きんし）
- 禁止（きんし）↔許可（きょか）
- 形式（けいしき）↔内容（ないよう）
- 結果（けっか）↔原因（げんいん）
- 減少（げんしょう）↔増加（ぞうか）
- 合成（ごうせい）↔分解（ぶんかい）
- 固体（こたい）↔液体（えきたい）
- 子孫（しそん）↔先祖（せんぞ）
- 子孫（しそん）↔祖先（そせん）
- 実名（じつめい）↔仮名（かめい）
- 集団（しゅうだん）↔個別（こべつ）
- 修理（しゅうり）↔破損（はそん）
- 主語（しゅご）↔述語（じゅつご）
- 順風（じゅんぷう）↔逆風（ぎゃくふう）
- 生産（せいさん）↔消費（しょうひ）
- 正式（せいしき）↔略式（りゃくしき）
- 接続（せつぞく）↔切断（せつだん）
- 増加（ぞうか）↔減少（げんしょう）
- 損失（そんしつ）↔利益（りえき）
- 苦手（にがて）↔得意（とくい）
- 肉体（にくたい）↔精神（せいしん）
- 発車（はっしゃ）↔停車（ていしゃ）
- 反対（はんたい）↔賛成（さんせい）
- 平常（へいじょう）↔非常（ひじょう）
- 未来（みらい）↔過去（かこ）
- 用心（ようじん）↔油断（ゆだん）
- 予習（よしゅう）↔復習（ふくしゅう）
- 利益（りえき）↔損失（そんしつ）
- 理想（りそう）↔現実（げんじつ）

類義語

- 医者（いしゃ）―医師（いし）
- 以前（いぜん）―過去（かこ）
- 運送（うんそう）―運輸（うんゆ）
- 運送（うんそう）―輸送（ゆそう）
- 永遠（えいえん）―永久（えいきゅう）
- 衛生（えいせい）―保健（ほけん）
- 家屋（かおく）―住居（じゅうきょ）
- 火事（かじ）―火災（かさい）
- 関心（かんしん）―興味（きょうみ）
- 技能（ぎのう）―技術（ぎじゅつ）
- 教員（きょういん）―教師（きょうし）
- 教授（きょうじゅ）―指導（しどう）
- 空想（くうそう）―想像（そうぞう）
- 決心（けっしん）―決断（けつだん）
- 建設（けんせつ）―建築（けんちく）
- 才能（さいのう）―素質（そしつ）
- 最良（さいりょう）―絶好（ぜっこう）
- 指図（さしず）―指示（しじ）
- 仕事（しごと）―職業（しょくぎょう）
- 失望（しつぼう）―絶望（ぜつぼう）
- 順番（じゅんばん）―順序（じゅんじょ）
- 自立（じりつ）―独立（どくりつ）
- 生産（せいさん）―製造（せいぞう）
- 性質（せいしつ）―性格（せいかく）
- 責務（せきむ）―責任（せきにん）
- 体験（たいけん）―経験（けいけん）
- 着目（ちゃくもく）―着眼（ちゃくがん）
- 中止（ちゅうし）―中断（ちゅうだん）
- 転業（てんぎょう）―転職（てんしょく）
- 同意（どうい）―賛成（さんせい）
- 中身（なかみ）―内容（ないよう）
- 熱中（ねっちゅう）―夢中（むちゅう）
- 発行（はっこう）―出版（しゅっぱん）
- 平等（びょうどう）―均等（きんとう）
- 不安（ふあん）―心配（しんぱい）
- 副業（ふくぎょう）―内職（ないしょく）
- 不在（ふざい）―留守（るす）
- 返事（へんじ）―応答（おうとう）
- 保健（ほけん）―衛生（えいせい）
- 役目（やくめ）―任務（にんむ）
- 用意（ようい）―準備（じゅんび）
- 様子（ようす）―状態（じょうたい）
- 理由（りゆう）―原因（げんいん）
- 留守（るす）―不在（ふざい）

まちがえやすい 音と訓

二字熟語（じゅくご）は、上の字を音読みすれば下の字も音読み、上の字を訓読みすれば下の字も訓読みするのがふつうです。ただし、中には音読みと訓読みが混ざるものがあるので注意しましょう。
（音読みはカタカナ、訓読みはひらがな）

ア 音と音

ポイント 熟語（じゅくご）は二字とも6級配当漢字の熟語（じゅくご）がよく出題されます。

安易（アンイ）　医師（イシ）　永遠（エイエン）　解決（カイケツ）　感情（カンジョウ）

混合（コンゴウ）　混同（コンドウ）　財産（ザイサン）　指示（シジ）　招待（ショウタイ）

測定（ソクテイ）　夫妻（フサイ）　武士（ブシ）　暴風（ボウフウ）　夢中（ムチュウ）　余分（ヨブン）　領土（リョウド）

イ 音と訓

ポイント 以下の漢字はよく出題されるので音読みと訓読みをしっかり覚えておきましょう。

場 [音]ジョウ [訓]ば
方 [音]ホウ [訓]かた
型 [音]ケイ [訓]かた

格安（カクやす）　旧型（キュウがた）　県境（ケンざかい）　現場（ゲンば）　残高（ザンだか）　試合（シあい）　仕事（シごと）　重箱（ジュウばこ）

新顔（シンがお）　新型（シンがた）　新芽（シンめ）　雑木（ゾウき）　総出（ソウで）　団子（ダンご）　無口（ムくち）　両足（リョウあし）

ウ 訓と訓

ポイント 6級配当漢字の訓読みは、枝（えだ）・逆（さか）・桜（さくら）・綿（わた）・居（い）・厚（あつ）がよく出題されます。

厚紙（あつがみ）　厚着（あつぎ）　厚手（あつで）　枝先（えださき）　枝葉（えだは）　枝豆（えだまめ）　枝道（えだみち）　織物（おりもの）　書留（かきとめ）　薬指（くすりゆび）

国境（くにざかい）　粉雪（こなゆき）　境目（さかいめ）　桜色（さくらいろ）　桜貝（さくらがい）　塩水（しおみず）　遠浅（とおあさ）　似顔（にがお）　墓場（はかば）　葉桜（はざくら）

初夢（はつゆめ）　花束（はなたば）　仏心（ほとけごころ）　仏様（ほとけさま）　街角（まちかど）　真綿（まわた）　山桜（やまざくら）　綿雲（わたぐも）　綿毛（わたげ）　綿雪（わたゆき）

エ 訓と音

ポイント 間違えやすいのは以下の漢字です。

気 [音]キ・ケ
手 [音]シュ [訓]て
地 [音]チ・ジ
湯 [音]トウ [訓]ゆ

合図（あいズ）　厚地（あつジ）　梅酒（うめシュ）　大勢（おおゼイ）　大判（おおバン）　係員（かかりイン）　係長（かかりチョウ）　紙製（かみセイ）　組曲（くみキョク）

消印（けしイン）　桜草（さくらソウ）　指図（さしズ）　塩気（しおケ）　建具（たてグ）　強気（つよキ）　手順（てジュン）　手数（てスウ）　手製（てセイ）

手相（てソウ）　手帳（てチョウ）　布地（ぬのジ）　布製（ぬのセイ）　場所（ばショ）　店番（みせバン）　道順（みちジュン）　身分（みブン）　横町（よこチョウ）

重要な 同じ音訓の漢字

※「・」は6級配当漢字

同じ音同じ訓でちがう意味をもつ漢字は数多くあります。文をよく読み、使われている意味を理解し、正しい漢字が書けるようにしましょう。

音読み

- 安**イ**な方法をえらぶ。　安易・
- タンスを**イ**動させる。　移・動
- **エイ**続性がある。　永・続
- 朝から**エイ**業する。　営・業
- **エイ**生的な店。　衛・生
- 海外との貿**エキ**。　貿・易・
- 利**エキ**を得る。　利・益・
- **エキ**体が気化する。　液・体

- 入学の許**カ**をえる。　許・可・
- 高**カ**な指輪を買う。　高価・
- **カ**説を立てる。　仮・説
- **カ**去をふり返る。　過・去
- **カイ**適な住まい。　快・適・
- 理**カイ**できない。　理解・
- 兄は明るい性**カク**だ。　性・格・
- 正**カク**に測る。　正確・

- 早起きの習**カン**。　習慣・
- 朝**カン**を読む。　朝刊・
- 赤を**キ**調とした作品。　基・調
- **キ**付をつのる。　寄・付
- 交通を**キ**制する。　規・制・
- 永**キュウ**不変。　永・久・
- 復**キュウ**工事。　復・旧・
- **キュウ**護活動。　救護・
- 心**キョウ**を語る。　心境・
- **キョウ**味深い本。　興・味
- 立ち入りは**キン**止。　禁・止
- **キン**等に分ける。　均・等

- 保**ケン**室で休む。　保・健
- 希望の条**ケン**を言う。　条・件・
- 身体**ケン**査を受ける。　検・査・
- **ケン**悪な空気。　険・悪
- 人口が**ゲン**少する。　減・少
- 無**ゲン**の可能性。　無限・
- 夢が実**ゲン**する。　実現・
- 事**コ**でけがをする。　事故・
- **コ**性を大事にする。　個・性・
- **コウ**果的な学習法。　効・果
- 農地を**コウ**作する。　耕・作
- **コウ**堂で入学式を行う。　講・堂

- 町が復**コウ**する。　復・興・
- 家の**コウ**造が複雑だ。　構・造・
- 国**サイ**会議を開く。　国際・
- 自然**サイ**害。　災・害
- 友人と**サイ**会した。　再会
- 商品の**ザイ**庫を調べる。　在庫
- **ザイ**産を管理する。　財・産
- 犯**ザイ**が減る。　犯・罪・
- 山の**サン**素はうすい。　酸・素・
- その意見に**サン**成だ。　賛・成
- 鳥を**シ**育する。　飼・育
- 入学を**シ**願する。　志・願

医**シ**になるのが夢だ。　医師
国民の**シ**持を得る。　支持
国家**シ**格をとる。　資格
月**シャ**をはらう。　月謝
校**シャ**を改築する。　校舎
足の手**ジュツ**を受ける。　手術
くわしく記**ジュツ**する。　記述
ショウ状を受け取る。　賞状
総会を**ショウ**集する。　招集
無実を**ショウ**言する。　証言
体の**ジョウ**態は良い。　状態
平和**ジョウ**約を結ぶ。　条約

美しい山の**ジョウ**景。　情景
ジョウ備薬。　常備
セイ治の仕組みを知る。　政治
台風の**セイ**力が増す。　勢力
新**セイ**品を発売する。　製品
成**セキ**があがる。　成績
セキ任感がある。　責任
面**セキ**を測る。　面積
母に直**セツ**渡す。　直接
建**セツ**現場で働く。　建設
人間の**ソ**先はサルだ。　祖先
十分な**ソ**質がある。　素質

売り上げが**ゾウ**加する。　増加
布を使った**ゾウ**花。　造花
宿題を**テイ**出する。　提出
旅の日**テイ**が決まる。　日程
演技指**ドウ**を受ける。　指導
ドウ像を建てる。　銅像
共**ハン**者がつかまる。　共犯
原因が**ハン**明した。　判明
ヒ満しやすい体質。　肥満
ヒ常事態。　非常
フク雑な心境だ。　複雑
漢字を**フク**習する。　復習

事件を**ホウ**道する。　報道
ホウ富な経験がある。　豊富
ボウ風注意報。　暴風
ボウ災訓練。　防災
ボウ易立国。　貿易
ム中で本を読む。　夢中
重要な任**ム**。　任務
旅行の**ヨ**定を組む。　予定
同情の**ヨ**地はない。　余地

訓読み

分**あつ**い本で調べる。　分厚い
あついふろに入る。　熱い

新居に**うつ**る。　移る
きれいに**うつ**るカメラ。　写る
機械で布を**お**る。　織る
枝を**お**る。　折る
学問を**おさ**める。　修める
領地を**おさ**める。　治める
さか立ちができる。　逆立ち
さか道を転げ落ちる。　坂道
なれたくつをはく。　慣れた
サイレンが**な**る。　鳴る
十年の年月を**へ**る。　経る
体重が**へ**る。　減る

(一) 読み (1×20)

10	9	8	7	6	5	4	3	2	1
20	19	18	17	16	15	14	13	12	11

(二) 漢字と送りがな (2×5)

5	4	3	2	1

(三) 部首名と部首 (1×10)

10	9	8	7	6	5	4	3	2	1

(四) 画数 (1×10)

10	9	8	7	6	5	4	3	2	1

(五) じゅく語の構成 (2×10)

10	9	8	7	6	5	4	3	2	1

第（　）回テスト答案用紙

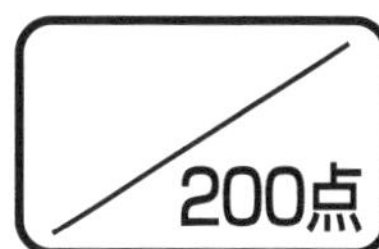

10	9	8	7	6	5	4	3	2	1	（六） 三字のじゅく語 (2×10)

10	9	8	7	6	5	4	3	2	1	（七） 対義語 類義語 (2×10)

6	5	4	3	2	1	（八） じゅく語作り (2×6)

10	9	8	7	6	5	4	3	2	1	（九） 音と訓 (2×10)

9	8	7	6	5	4	3	2	1	（十） 同じ読みの漢字 (2×9)

10	9	8	7	6	5	4	3	2	1	（土） 漢字 (2×20)
20	19	18	17	16	15	14	13	12	11	

　※コピーしてお使いください。

本書記載の情報は制作時点のものです。受検をお考えの方は、必ずご自身で下記の公益財団法人 日本漢字能力検定協会の発表する最新情報をご確認ください。

公益財団法人 日本漢字能力検定協会
【ホームページ】 https://www.kanken.or.jp/
<本部> 京都市東山区祇園町南側 551 番地
ホームページにある「よくある質問」を読んで該当する質問がみつからなければメールフォームでお問合せください。電話でのお問合せ窓口は0120－509－315（無料）です。

本書に関する正誤等の最新情報は、下記のアドレスでご確認ください。
https://www.seibidoshuppan.co.jp/info/honshi-kanken6-2411

- ◉ 上記アドレスに掲載されていない箇所で、正誤についてお気づきの場合は、書名・質問事項・氏名・住所（または FAX 番号）を明記の上、**成美堂出版**まで**郵送**または **FAX** でお問い合わせください。**お電話でのお問い合わせはお受けできません。**
- ◉ 本書の内容を超える質問等にはお答えできませんので、あらかじめご了承ください。また、受検指導などは行っておりません。
- ◉ ご質問の到着確認後10日前後で、回答を普通郵便またはFAXで発送いたします。
- ◉ ご質問の受付期限は、2025年10月末日到着分までといたします。ご了承ください。

よくあるお問い合わせ

Q **持っている辞書に掲載されている部首と、本書に掲載されている部首が違いますが、どちらが正解でしょうか？**

A 辞書によっては、部首としているものが異なることがあります。**漢検の採点基準では、「漢検要覧 2～10 級対応 改訂版」（日本漢字能力検定協会発行）で示しているものを正解としています**ので、本書もこの基準に従っています。そのためお持ちの辞書と部首が異なることがあります。

本試験型 漢字検定6級試験問題集 '25年版

2024年12月1日発行

編　著　成美堂出版編集部
発行者　深見公子
発行所　成美堂出版
〒162-8445　東京都新宿区新小川町1-7
電話(03)5206-8151　FAX(03)5206-8159
印　刷　大盛印刷株式会社

ISBN978-4-415-23913-2
落丁·乱丁などの不良本はお取り替えします
定価はカバーに表示してあります

本試験型

漢字検定試験問題集

'25年版

6級

解答・解説

◀ 矢印方向に引くと別冊の解答・解説が外れます。

成美堂出版

6級 第1回 テスト 解答・解説

問題は本冊P10〜15

(一) 読み 各1点 計20点

グレーの部分は解答の補足です。

1 しゅうい
2 えいせい
3 うつ(す)
4 ていきあつ
5 えきたい
6 すえなが(く)
7 おうふく
8 こころよ(く)
9 かけつ
10 やさ(しい)
11 と(けた)
12 えきちゅう
13 さくら
14 ぎんが
15 しか
16 かり
17 えんぜつ
18 あ(み物)
19 いとな(む)
20 す(ぎ)

2「公衆衛生(こうしゅうえいせい)」は地域社会の人々の病気予防、健康の保持・増進のため、公私の組織により行われる衛生活動。

9「可決(かけつ)」は議案をよいと認めて決めること。

12「益虫(えきちゅう)」は人間生活に役立つ虫。対義語は「害虫(がいちゅう)」。

15「市価(しか)」は市場で売買される値段。

20「のど元過(もとす)ぎれば熱(あつ)さをわすれる」は、苦しいことも過ぎてしまえば、苦しさもそのときに受けた恩(おん)も忘(わす)れてしまうということ。

(二) 漢字と送りがな 各2点 計10点

1 務(つと)める
2 養(やしな)う
3 険(けわ)しい
4 暴(あば)れる
5 応(こた)える

(三) 部首名と部首 各1点 計10点

1 オ
2 木
3 コ
4 刂
5 キ
6 宀
7 ウ
8 亻
9 ア
10 糸

(四) 画数 各1点 計10点

1 5
2 16
3 2
4 5
5 6
6 13
7 3
8 7
9 4
10 12

(五) じゅく語の構成 各2点 計20点

1 ウ
2 イ
3 ア
4 イ
5 エ
6 ウ
7 イ
8 エ
9 ウ
10 ア

墓地(ぼち) 墓(のある)↓地
任務(にんむ) どちらも「仕事、役目」の意。
加減(かげん) 加(える)⇕減(らす)
燃焼(ねんしょう) どちらも「もえる」の意。
修学(しゅうがく) 修(める)↑学(学業を)
銅像(どうぞう) 銅(銅製の)↓像
設備(せつび) どちらも「そなえる」の意。
受賞(じゅしょう) 受(ける)↑賞(を)
旧型(きゅうがた) 旧(式の)↓型
出欠(しゅっけつ) 出(出席)⇕欠(欠席)

(六) 三字のじゅく語 各2点 計20点

グレーの部分は解答の補足です。

1 建築家(けんちくか)
2 観測所(かんそくじょ)
3 決断力(けつだんりょく)
4 造船所(ぞうせんじょ)
5 付属物(ふぞくぶつ)
6 提出日(ていしゅつび)
7 栄養素(えいようそ)
8 総選挙(そうせんきょ)
9 能率的(のうりつてき)
10 張本人(ちょうほんにん)

建物の設計や建築の管理を職業とする人。

天体・気象など自然現象を観察・記録する施設(しせつ)。

自分自身の判断で決める能力。

船の建造や改造、修理を行う工場。造船場。

主だったものに付き従(したが)っているもの。

文書などをある場所に差し出す日のこと。

生き物が栄養のために体内に取り入れる物質。

議員を新たに全員選出する選挙(特に衆議院(しゅうぎいん))。

むだなく作業や仕事がはかどるさま。

その事件を起こす原因をつくった人。

(七) 対義語・類義語 各2点 計20点

グレーの部分は問題のじゅく語と解答の補足です。

1 理想⇔現実
2 消極⇔積極
3 生産⇔消費
4 肉体⇔精神
5 勝利⇔敗北
6 周辺＝周囲
7 平等＝均等
8 命令＝指示
9 運送＝運輸
10 技能＝技術

2「消極」は進んで働きかけないこと。ひかえめであること。「積極」は進んで働きかけること。

4「精神」は人間の心。またその働き。

(八) じゅく語作り 各2点 計12点

細字の部分は解答の補足です。

1 ケ 武士
2 カ 資料
3 ア 指示
4 シ 駅舎
5 キ 謝礼
6 エ 医者

3「指示」は物事のやり方をさししめすこと。

4「駅舎」は鉄道の駅の建物。

5「謝礼」はお礼の言葉や金品。

(九) 音と訓 各2点 計20点

1 ア 日常（ニチジョウ）
2 エ 手製（てセイ）
3 ウ 米粉（こめこ）
4 イ 毎朝（マイあさ）
5 エ 古本（ふるホン）
6 ウ 初夢（はつゆめ）
7 ア 組織（ソシキ）
8 エ 雨具（あまグ）
9 イ 王様（オウさま）
10 ア 性格（セイカク）

2「手製」は自分の手で作ること。また、その作ったもの。手作り。

7「組織」は組み立てること。またその組み立てられたもの。

(十) 同じ読みの漢字 各2点 計18点

グレーの部分は解答の補足です。

1 採（って）
2 取（って）
3 （用）件
4 検（査）
5 （事）故
6 個（人差）
7 （野）菜
8 再（出発）
9 （国）際（的）

6「個人差」はその人その人によって生じる、精神的、身体的な特性の違い。

9「国際的」は物事が多くの国に関係しているさま。また、規模が世界的に広がっているさま。

(十一) 漢字 各2点 計40点

グレーの部分は解答の補足です。

1 休刊
2 慣（れた）
3 全額
4 確（かめる）
5 （新）幹線
6 防音
7 炭鉱
8 余計
9 転居
10 告（げる）
11 特許
12 布
13 経験
14 寄（せて）
15 久（しい）
16 接近
17 得（た）
18 救（われた）
19 逆（らう）
20 国境

1「休刊」は新聞や雑誌などの定期刊行物が、ある期間刊行を休むこと。

2「馴れる」は常用漢字表にない字で、6級では×。

6「防音工事」は外部からの音を聞こえなくしたり、内部の音を漏らさないようにするための工事。

7「炭鉱」は石炭を掘り出すための鉱山。

11「特許」は役立つ発明をなした者に対し、国が権利・資格などを設定し、独占的な使用を認めること。

16「接近」は近寄ること。

(一) 読み　各1点 計20点

グレーの部分は解答の補足です。

1 よろこ(んだ)
2 がんか
3 ひたい
4 ききん
5 みき
6 きこう
7 ゆる(し)
8 ぎじゅつ
9 しゅぎ
10 さか(上がり)
11 い(る)
12 きゅうしき
13 さかい
14 きんとう
15 きんもつ
16 へ(て)
17 くとうてん
18 むら(がる)
19 けっぱく
20 な(れ)

2「眼下」は高いところから見下ろしたところ。
4「基金」は前もって準備しておく資金。
9「主義」はもとになる考え・主張。
11「居る」を「居る」と読むのは常用漢字表にない読みなので×。
17「句読点」は句点と読点。多くは句点に「。」、読点に「、」を使う。
19「潔白」は、行いが正しく、恥ずかしいところがないこと。

(二) 漢字と送りがな　各2点 計10点

1 温める
2 快い
3 過ごす
4 述べる
5 断る

(三) 部首名と部首　各1点 計10点

1 コ　2 車
3 ク　4 攵
5 ア　6 广
7 オ　8 口
9 ウ　10 忄

(四) 画数　各1点 計10点

1 3
2 5
3 4
4 11
5 9
6 13
7 4
8 5
9 5
10 15

(五) じゅく語の構成　各2点 計20点

1 ウ　日光　日(太陽の)→光
2 イ　保守　どちらも「まもる」の意。
3 ア　問答　問(う)⇔答(える)
4 ウ　速球　速(い)→球
5 イ　省略　どちらも「はぶく」の意。
6 エ　禁漁　禁(ずる)←漁(を)
7 ア　明暗　明(るい)⇔暗(い)
8 イ　報告　どちらも「しらせる」の意。
9 エ　改心　改(める)←心(を)
10 エ　防火　防(ぐ)←火(火事を)

(六) 三字のじゅく語　各2点 計20点

グレーの部分は解答の補足です。

1 **統**計表　調査で得られた数量データを記した表。
2 木**版**画　木の板を彫った版で印刷した絵。
3 **婦**人服　女性用の服。
4 前**任**者　以前にその任務についていた人。
5 **独**立国　外国に支配されず、完全な主権を有する国家。
6 予**備**品　あらかじめ準備しておいた品。
7 不**燃**物　燃えないもの。また、燃やさないごみ。
8 指**導**者　ある目的を示し、そこに向けて教え導く人。
9 小麦**粉**　小麦をひいてつくった粉のこと。
10 **非**公開　一般には開放せず入場者を限定すること。

問題は本冊P16~21

(七) 対義語・類義語

各2点 計20点

グレーの部分は問題のじゅく語と解答の補足です。

1 減少⇔増加
2 個人⇔団体
3 反対⇔賛成
4 本店⇔支店
5 予習⇔復習
6 気楽＝安易
7 日常＝平素
8 指図＝指示
9 性質＝性格
10 人工＝人造

6「安易」はたやすいこと。

8「指図」「指示」は人に仕事など指示してさせること。

10「人工」「人造」は、人が自然と同じようなものを作り出すこと。

(八) じゅく語作り

各2点 計12点

細字の部分は解答の補足です。

1 キ 製紙
2 オ 急性
3 シ 精米
4 ク 賞品
5 サ 照準
6 ケ 招待

5「照準」は弾丸が命中するようにねらいを定めること。

(九) 音と訓

各2点 計20点

1 イ 仕事
2 ア 倍率
3 エ 布地
4 イ 団子
5 ウ 街角
6 イ 札束
7 ア 主張
8 エ 丸太
9 ア 気絶
10 ウ 厚紙

2「倍率」はある数や大きさが他の何倍であるかを示す比率。

6「札（サツ）」は音読み。訓読みと間違えやすいので注意。

(十) 同じ読みの漢字

各2点 計18点

グレーの部分は解答の補足です。

1 飼（って）
2 買（って）
3 （家）財
4 （実）在
5 （歴）史
6 飼（育）
7 （第三）者
8 （宿）舎
9 謝（礼金）

8「国民宿舎」は国立公園や都道府県の自然公園など、自然豊かな休養地に建てられた安価に利用できる公共の宿泊休養施設。

(土) 漢字

各2点 計40点

グレーの部分は解答の補足です。

1 険悪
2 減（る）
3 世紀
4 現（れる）
5 再開
6 構（えて）
7 暴（れて）
8 耕（す）
9 限度
10 夢
11 採集
12 綿
13 混成
14 食堂
15 効果
16 勢（い）
17 妻子
18 豊（かな）
19 国際
20 天災

1「険悪」は表情や性質、情勢などがとげとげしく危険な感じになること。

4「表」は×。「現れる」は、隠されていたものが姿を見せる。「表れる」は、心の中のものが外に出る。

9「限度」はそこまでと限られている境目のところ。ぎりぎりのところ。

13「混成」は混じり合ってできていること。

20「天災はわすれたころにやってくる」は、地震や洪水、台風などといった災害は、その恐ろしさを忘れたころにまた起こるものである。油断を戒める言葉。

(一) 読み
各1点 計20点

グレーの部分は解答の補足です。

1 じけん
2 きゅうきゅうしゃ
3 かぎ(り)
4 こじん
5 ひょうげんりょく
6 き(いて)
7 こしつ
8 べんご
9 げんさん
10 あつ(い)
11 こう(運機)
12 かま(って)
13 こうせき
14 にづく(り)
15 こうどう
16 ま(ぜて)
17 つま
18 と(る)
19 はか(る)
20 ねんぶつ

4「故人」は、死んだ人。また、古くからの友人の意味もある。

9「減産」は生産量が減ること。また減らすこと。

11「耕運機」は田畑の土をすき起こし、土をくだくために用いる農業機械。

20「馬の耳に念仏」は、いくら教えたり注意したりしても、全く効き目がないことのたとえ。

(二) 漢字と送りがな
各2点 計10点

1 確かめる
2 喜ぶ
3 久しく
4 囲う
5 逆らう

(三) 部首名と部首
各1点 計10点

1 ウ　2 阝
3 キ　4 ⺍
5 エ　6 辶
7 オ　8 火
9 ケ　10 氵

(四) 画数
各1点 計10点

1 11
2 16
3 2
4 5
5 5
6 8
7 15
8 17
9 8
10 10

(五) じゅく語の構成
各2点 計20点

1 イ　原因　どちらも「物事の起こり」の意。
2 ウ　旧友　旧(古くからの)↓友
3 ウ　特技　特(特別の)↓技(わざ)
4 ア　往来　往(行く)⇕来(る)
5 イ　転落　どちらも「おちる」の意。
6 エ　発芽　発(する)↑芽(が)
7 ウ　定価　定(められた)↓価(値段)
8 ア　軽重　軽(い)⇕重(い)。「けいじゅう」とも読む。
9 イ　永遠　どちらも「ながい・ひさしい」の意。
10 ウ　校舎　校(学校の)↓舎(建物)

(六) 三字のじゅく語
各2点 計20点

グレーの部分は解答の補足です。

1 美**容**院　髪を結ったりパーマなどを行う施設。
2 住民**税**　ある区域内に住所がある個人・法人に課す税。
3 電**報**文　電信を用いて送る通信に載せる文。
4 **武**勇伝　武勇に優れた人の伝記。勇ましい手柄話。
5 人**格**者　優れた人間性の持ち主。
6 **留**守電　「留守番電話」の略。
7 調**査**隊　物事の状態や動向などを調べる一団。
8 **復**活祭　キリストの復活を記念し祝う祭り。
9 **保**健室　けがの簡単な治療や健康管理の指導などを行う部屋。
10 **領**事館　領事が派遣先の国でその職務を行う役所。

問題は本冊 P22~27

(七) 対義語・類義語

各2点 計20点

グレーの部分は問題のじゅく語と解答の補足です。

1 害虫⇔益虫
2 推進⇔防止
3 発車⇔停車
4 実名⇔仮名
5 禁止⇔許可
6 建設＝建築
7 転業＝転職
8 活発＝快活
9 自立＝独立
10 母国＝祖国

2「推進」は前へ推し進めること。事業などを目的に向かってはかどらせること。

4「実名」は本当の名前。本名。「仮名」は本当の名前ではなく、仮につけた名前。

(八) じゅく語作り

各2点 計12点

細字の部分は解答の補足です。

1 ケ 停車
2 コ 提案
3 ウ 日程
4 シ 隊員
5 キ 態度
6 エ 声帯

2「提案」は案や意見、考えを示すこと。

6「声帯」はのどの内側にある発声にかかわるひだ。

(九) 音と訓

各2点 計20点

1 ア 犯罪
2 イ 先手
3 ア 貯金
4 ウ 小型
5 ウ 居所
6 ウ 布目
7 エ 手本
8 ア 肥料
9 イ 県境
10 イ 別物

10「別(ベツ)」は音読み。訓読みと間違えやすいので注意。

(十) 同じ読みの漢字

各2点 計18点

グレーの部分は解答の補足です。

1 折(る)
2 織(る)
3 条(件)
4 (白)状
5 得(意)
6 (道)徳
7 (感受)性
8 制(服)
9 政(治家)

6「道徳」は人間として、あるいは社会の一員として守らなければならない正しい行い。

7「感受性」は外界からの刺激を深く感じ取ることができる能力。

(十一) 漢字

各2点 計40点

グレーの部分は解答の補足です。

1 航行
2 在(り日)
3 感謝
4 志(し)
5 授業
6 増(える)
7 雑木(林)
8 移(す)
9 規則
10 解(いた)
11 支持
12 営(み)
13 飼料
14 再(び)
15 暗示
16 仮
17 修理
18 過(ごす)
19 述(べる)
20 情(け)

4「志す」は、あることをしようと決心すること。

7「雑木林」は家具などの材料にならない種々雑多の樹木の林。

11「支持」は他の人の意見や主張などに賛成し、後押しをすること。

12「営み」は、仕事、行い。

13「飼料」は家畜に与えるえさ。

15「暗示」は、それとなく示す。

16「仮ぬい」は洋服をできあがりの形に縫う前に仮に一度縫い合わせること。また、その縫い合わせたものを着せて体に合わせて直すこと。

20「情けは人のためならず」は、人にしてあげた親切は、いつか自分のところにかえってくるという意味。

第4回 テスト 解答・解説

問題は本冊P28～33

(一) 読み 各1点 計20点

グレーの部分は解答の補足です。

1 こうさい
2 おおがた
3 じつざい
4 ささ(える)
5 ざつおん
6 こころざし
7 さんけつ
8 しょくいん
9 えだみち
10 ぼくし
11 しりょう
12 か(う)
13 いしき
14 しめ(し)
15 きず(く)
16 ははおやに
17 しょうどく
18 そこう
19 くら(べる)
20 つみ

1「交際」は人と人がつきあうこと。
4「やぐら」は木材などを組み上げて高く造り上げた構造物。
6「志」は、親切な心。また、心に決めたこと。
7「酸欠」は空気中の酸素や水中にとけている酸素が不足すること。
9「枝道」は横道。また、物事の本筋からはなれること。

(二) 漢字と送りがな 各2点 計10点

1 破れる
2 現す
3 耕す
4 豊かな
5 再び

(三) 部首名と部首 各1点 計10点

1 ア 2 口
3 ケ 4 𥫗
5 ク 6 扌
7 エ 8 頁
9 オ 10 言

(四) 画数 各1点 計10点

1 8
2 14
3 2
4 6
5 10
6 13
7 5
8 7
9 11
10 17

(五) じゅく語の構成 各2点 計20点

1 エ
2 ア
3 イ
4 ウ
5 イ
6 ウ
7 エ
8 ア
9 イ
10 イ

解禁 解く⬆禁を
音訓 音(音読み)⬍訓(訓読み)
眼目 どちらも「目」の意。
両親 両(両方の)⬇親
基幹 どちらも「もと・中心」の意。
国境 国(の)⬇境
転居 転(ずる)⬆居(住むところを)
新旧 新(しい)⬍旧(ふるい)
音信 どちらも「たより・手紙」の意。
均等 どちらも「同じ」の意。

(六) 三字のじゅく語 各2点 計20点

グレーの部分は解答の補足です。

1 高気圧
2 営業部
3 気象台
4 可能性
5 大暴落
6 移転先
7 守衛室
8 応接間
9 共演者
10 航空機

気圧が高いこと。
会社などで販売活動を行う部署。
天気や地震、火山などの観測や研究を行う機関。
物事が現実になる見込み。事実がそうである度合。
物価や株価が急激に大きく下がること。
住所を変更する場所。
土地や建物の警備を行う人の部屋。
訪問者の相手をする部屋。
映画や音楽などでいっしょに出演する俳優や歌手。
飛行機やヘリコプターなど空を飛ぶ機械。

(七) 対義語・類義語　各2点 計20点

グレーの部分は問題のじゅく語と解答の補足です。

1 合唱（がっしょう）⇔独唱（どくしょう）
2 未来（みらい）⇔過去（かこ）
3 例外（れいがい）⇔原則（げんそく）
4 結果（けっか）⇔原因（げんいん）
5 原料（げんりょう）⇔製品（せいひん）
6 同意（どうい）＝賛成（さんせい）
7 入選（にゅうせん）＝入賞（にゅうしょう）
8 使命（しめい）＝任務（にんむ）
9 内職（ないしょく）＝副職（ふくしょく）
10 特別（とくべつ）＝格別（かくべつ）

9「内職」「副職」は本職のほかに、収入を得るためにする仕事。アルバイト。主に主婦などが家計の助けに自宅などで行う賃仕事。

(八) じゅく語作り　各2点 計12点

細字の部分は解答の補足です。

1 サ 非力（ひりき）
2 ク 対比（たいひ）
3 エ 消費（しょうひ）
4 シ 婦人（ふじん）
5 イ 公布（こうふ）
6 コ 首府（しゅふ）

5「公布」は広く世に知らせること。成立した法令などを広く一般国民に知らせること。

(九) 音と訓　各2点 計20点

1 ウ 墓石（はかいし）
2 エ 見本（みホン）
3 ア 武士（ブシ）
4 イ 台所（ダイどころ）
5 ウ 石仏（いしぼとけ）
6 ア 貿易（ボウエキ）
7 ウ 目印（めじるし）
8 ア 義務（ギム）
9 ウ 指輪（ゆびわ）
10 エ 親分（おやブン）

8「義務」はおのおのの立場からしなければならない務め。

(十) 同じ読みの漢字　各2点 計18点

グレーの部分は解答の補足です。

1 解（く）（と）
2 説（く）（と）
3 銅（どう）（賞）（しょう）
4 （本）（ほん）堂（どう）
5 団（だん）（体）（たい）
6 断（だん）（水）（すい）
7 （海）（かい）底（てい）
8 （音）（おん）程（てい）
9 提（てい）（出）（しゅつ）

6「断水」は水道管の工事や水不足、災害などにより、水道の給水が止まること。また給水を止めること。

(十一) 漢字　各2点 計40点

グレーの部分は解答の補足です。

1 招待（しょうたい）
2 絶（た）（える）
3 桜（さくら）
4 肥満（ひまん）
5 毒（どく）
6 減点（げんてん）
7 組織（そしき）
8 確（たし）（かめて）
9 勢力（せいりょく）
10 予備（よび）
11 容器（ようき）
12 慣（な）（らす）
13 建設（けんせつ）
14 経（へ）（て）
15 成績（せいせき）
16 逆様（さかさま）
17 燃（も）（えにくい）
18 許（ゆる）（して）
19 貸（か）（して）
20 寄（よ）（れば）

1「落成式」は建築物ができあがって祝う式。

4「肥満」は健康的な状態よりも体が太ること。その体つき。

9「勢力」は他をおさえつける勢いと力。

10「予」を「余」と間違えないように注意。

11「容器」は物を入れる器。入れもの。

14「経て」は、通過して、たどって。

20「三人寄ればもんじゅのちえ」は、優れていない人でも三人集まって相談すればよい知恵が浮かぶという意味。

(一) 読み

各1点 計20点

グレーの部分は解答の補足です。

1 すいじゅん
2 まね(き)
3 じゅんじょ
4 つね
5 しゅっこう
6 しょうめい
7 なさ(け)
8 あつで
9 そぼ
10 お(り)
11 しょくぎょう
12 ゆる(された)
13 せい
14 せ(め)
15 とくせい
16 いきお(い)
17 じっせき
18 もう(ける)
19 ちょくせつ
20 す(ぎれ)

1「水準」は一定の標準。物事の価値や性能を調べるときの基準となるもの。また、世間で認められている基準。レベル。

17「実績」は、仕事などの成績。

20「薬も過ぎれば毒となる」は病気を治す薬も飲みすぎれば毒となるように、たとえよいものであっても行き過ぎてはかえって害になるということ。

(二) 漢字と送りがな

各2点 計10点

1 務(つと)まる
2 志(こころざ)す
3 導(みちび)く
4 易(やさ)しい
5 迷(まよ)う

(三) 部首名と部首

各1点 計10点

1 キ
2 扌
3 エ
4 ネ
5 オ
6 氵
7 ク
8 巾
9 ウ
10 土

(四) 画数

各1点 計10点

1 4
2 6
3 5
4 18
5 6
6 8
7 17
8 18
9 10
10 13

(五) じゅく語の構成

各2点 計20点

1 ウ
2 ア
3 イ
4 イ
5 ウ
6 イ
7 エ
8 ア
9 ア
10 ウ

左折(させつ) 左(に)↓折(れる)
夫妻(ふさい) 夫⇕妻(婦)
護衛(ごえい) どちらも「まもる」の意。
永久(えいきゅう) どちらも「ながい」の意。
先着(せんちゃく) 先(に)↓着(く)
災害(さいがい) どちらも「わざわい」の意。
採光(さいこう) 採(る)↑光(を)
単複(たんぷく) 単(一つ)⇕複(複数)
功罪(こうざい) 功(よい点)⇕罪(悪い点)
鉱石(こうせき) 鉱(有用な金属などをふくんだ)↓石

(六) 三字のじゅく語

各2点 計20点

グレーの部分は解答の補足です。

1 経験者(けいけんしゃ)
2 新刊書(しんかんしょ)
3 規格品(きかくひん)
4 寄付金(きふきん)
5 義兄弟(ぎきょうだい)
6 平均点(へいきんてん)
7 輸出品(ゆしゅつひん)
8 名文句(めいもんく)
9 居酒屋(いざかや)
10 境界線(きょうかいせん)

ある物事を経験した人。ある分野で多くの経験を積んだ人。

新しく刊行した書物。

ある基準に合わせて作られた品物。

公共事業や社寺、ボランティア団体などにおくるお金。

兄弟の仲になる約束をかわした者同士。また、義理の兄弟。

点数の合計を人数や項目数で割った点数。

外国へ売る品物。

人々の心を動かすような文言。また、有名な文言。

簡単な料理と酒を提供する大衆的な酒場。

複数のものを隔てる境の線。

問題は本冊P34~39

（七）対義語・類義語

各2点 計20点

グレーの部分は問題のじゅく語と解答の補足です。

1 失意（しつい）⇔得意（とくい）
2 許可（きょか）⇔禁止（きんし）
3 回答（かいとう）⇔質問（しつもん）
4 固体（こたい）⇔液体（えきたい）
5 外交（がいこう）⇔内政（ないせい）
6 財産（ざいさん）＝資産（しさん）
7 衛生（えいせい）＝保健（ほけん）
8 農地（のうち）＝耕地（こうち）
9 様子（ようす）＝状態（じょうたい）
10 着目（ちゃくもく）＝着眼（ちゃくがん）

1「失意」は望みが遂げられず、がっかりすること。

10「着目」「着眼」は物事をしたり考えたりするために、特定のところに目をつけること。

（八）じゅく語作り

各2点 計12点

細字の部分は解答の補足です。

1 ア 時報（じほう）
2 ウ 豊年（ほうねん）
3 オ 放火（ほうか）
4 ク 美容（びよう）
5 コ 要点（ようてん）
6 シ 休養（きゅうよう）

2「豊年」は農作物の収穫の多い年。とくにイネの豊作の年。

5「要点」は大切なところ。重要な部分。

（九）音と訓

各2点 計20点

1 ア 酸化（サンカ）
2 ウ 花見（はなみ）
3 イ 仮名（かな）
4 エ 湯気（ゆゲ）
5 ア 快晴（カイセイ）
6 ウ 桜色（さくらいろ）
7 ウ 正夢（まさゆめ）
8 エ 場面（ばメン）
9 イ 茶色（チャいろ）
10 ア 易者（エキシャ）

10「易者」は易という占いの仕事をする人のこと。「易」の訓読みは「易しい」。

（十）同じ読みの漢字

各2点 計18点

グレーの部分は解答の補足です。

1 破（やぶ）（り）
2 敗（やぶ）（れる）
3 費（ひ）（用）
4 肥（ひ）（料）
5 判（はん）（定）
6 （図）版（はん）
7 造（ぞう）（花）
8 （急）増（ぞう）
9 （銅）像（ぞう）

1「破れる」は紙や布が裂ける。

2「敗れる」は試合などに負ける。使い分けに注意。

（十一）漢字

各2点 計40点

グレーの部分は解答の補足です。

1 旅費（りょひ）
2 綿（わた）
3 省略（しょうりゃく）
4 張（は）（る）
5 損害（そんがい）
6 限（かぎ）（り）
7 提案（ていあん）
8 耕地（こうち）
9 適当（てきとう）
10 構（かま）（える）
11 額（ひたい）
12 編（あ）（んだ）
13 測定（そくてい）
14 留守（るす）
15 墓（はか）
16 減（へ）（る）
17 断言（だんげん）
18 険（けわ）（しい）
19 建築（けんちく）
20 飼（か）（い）

3「省略」は文章や説明、工程などの一部を省くこと。

7「提案」は案を提出すること。また、提出した案。

10「構える」は（建物や門などを）組み立てて作る。立派に作り上げる。

11「額を集める」は複数の人が互いの額をつけるようにして相談をする様子。

15「墓」や「幕」（どちらも5級配当漢字）といった形の似た漢字に注意。

16「減」は点つき。

18「険しい坂道」は、急な坂道。

20「飼い犬に手をかまれる」は、日頃心を許していたものから思いがけず害を受けること。

(一) 読み 各1点 計20点

グレーの部分は解答の補足です。

1 さいほうそう
2 た(やさない)
3 そざい
4 つく(り)
5 そうぞう
6 ま(す)
7 はんそく
8 は(る)
9 きず(く)
10 ふぞく
11 ひき(いる)
12 たいど
13 だんご
14 ふじん
15 そうかい
16 か(す)
17 ていど
18 ことわ(る)
19 てきりょう
20 ほとけ

4「造り酒屋」は酒を醸造(発酵や熟成などの作用により酒やみそなどをつくること)しておろす店。

19「適量」はふさわしい量。ちょうどよい量。

20「仏の顔も三度」はどんなに温厚な人でも、何度も無礼な言動をすれば、しまいには怒ることのたとえ。

(二) 漢字と送りがな 各2点 計10点

1 測る
2 留める
3 混ぜる
4 勢い
5 設ける

(三) 部首名と部首 各1点 計10点

1 ア 2 力
3 ケ 4 禾
5 エ 6 攵
7 ク 8 飠
9 ウ 10 厂

(四) 画数 各1点 計10点

1 10
2 12
3 6
4 8
5 10
6 14
7 6
8 11
9 5
10 11

(五) じゅく語の構成 各2点 計20点

1 イ
2 ア
3 イ
4 エ
5 ウ
6 ア
7 イ
8 ウ
9 ウ
10 エ

質問　どちらも「といただす」の意。
集散　集(まる)⇔散(る)
財産　どちらも「ねうちのあるもの」の意。
製氷　製(製造する)↑氷(を)
織物　織(った)↓物
授受　授(ける)⇔受(ける)
統合　どちらも「まとめる・あわせる」の意。
税金　税(の)↓金
版画　版(を用いて刷った)↓画
在室　在(いる)↑室(部屋に)

(六) 三字のじゅく語 各2点 計20点

グレーの部分は解答の補足です。

1 日本史
2 手加減
3 非公式
4 再来年
5 講習会
6 現代語
7 守護神
8 大事故
9 夢心地
10 興信所

日本の歴史のこと。

相手によって厳しさの度合を弱めること。

公に決められた方式や形式ではないこと。

次の次の年。明後年。

集まって勉強したり技術や工芸などを身につける会。

現代、実際に用いられている言語。

個人や集団を守護するとされる神。まもりがみ。

大きな事故。

夢を見ているようなうっとりとした気持ち。

個人や企業の信用や行動、財産を調査する民間の機関。

問題は本冊P40~45

(七) 対義語・類義語

各2点 計20点

グレーの部分は問題のじゅく語と解答の補足です。

1 公海⇕領海
2 正式⇕略式
3 往路⇕復路
4 子孫⇕祖先
5 成功⇕失敗
6 返事＝応答
7 体験＝経験
8 土台＝基本
9 用意＝準備
10 畑地＝耕地

1「公海」は、世界各国が自由に使用できる海。「領海」は一国の沿海のうち、その主権のもとにある海。

3「往路」は行きの道。「復路」は帰りの道。

(八) じゅく語作り

各2点 計12点

細字の部分は解答の補足です。

1 カ 仮面
2 コ 定価
3 キ 可決
4 シ 運営
5 ウ 永続
6 ア 栄光

2「定価」は商品の、前もって決めてある売値。

3「可決」は議案の承認を決定すること。

(九) 音と訓

各2点 計20点

1 エ 夕刊（ゆうカン）
2 ア 安易（アンイ）
3 ア 正確（セイカク）
4 ウ 居間（いま）
5 イ 曜日（ヨウび）
6 イ 具合（グあい）
7 ウ 逆手（さかて）
8 ア 過去（カコ）
9 エ 野宿（のジュク）
10 ウ 境目（さかいめ）

2「安易」はかんたんであること。

7「逆手」はふつうの持ち方とは逆向きに持つこと。

9「野宿」は屋外で夜を明かすこと。

(十) 同じ読みの漢字

各2点 計18点

グレーの部分は解答の補足です。

1 泣（いて）
2 無（い）
3 （祝）福
4 複（写）
5 余（白）
6 予（定）
7 （希）望
8 防（戦）
9 暴（発）

3「福」はしめすへん（ネ）、4「複」はころもへん（ネ）。紛らわしい形の漢字に注意。

9「暴発」は不意に起こること。不注意でピストルなどのたまが急に飛び出すこと。

(士) 漢字

各2点 計40点

グレーの部分は解答の補足です。

1 任（せる）
2 山脈
3 燃（やす）
4 銅
5 破（る）
6 周囲
7 肥（やす）
8 評判
9 備（え）
10 対比
11 貧（しい）
12 導入
13 責（める）
14 独唱
15 枝
16 賞状
17 飼（う）
18 毛布
19 記述
20 豊年

1「なりゆき」は物事が少しずつ移り変わってゆく様子や過程。

5「破る」はこれまでのものに代わって新しくする。記録などを改める。この場合は紙や布を裂くことではない。

12「導入」は導き入れること。

20「雪は豊年のしるし」は、雪がたくさん降ることは豊作になる前兆であるということ。

問題は本冊P46~51

(一) 読み

各1点 計20点

グレーの部分は解答の補足です。

1 にんき
2 も(やす)
3 とうけい
4 のうりょく
5 はんにん
6 ひと(り)
7 とみ
8 やぶ(れ)
9 しゅっぱん
10 き(いて)
11 ひじょう
12 こ(やし)
13 ひんぴょうかい
14 そな(わった)
15 こうしゅうかい
16 かこ(まれ)
17 こくはく
18 ぬのじ
19 ひれい
20 こばん

1「任期」はある仕事や役目についている期間。
7 問題文の場合「富」は財産、「名声」はよい評判。
12「肥やし」は土に与える養分。また、あとになって役に立つもの。

20「ねこに小判」はねこには小判の価値がわからないということわざ。どんなに価値のあるものでも、その価値がわからない者に与えては意味がないということ。

(二) 漢字と送りがな

各2点 計10点

1 増える
2 修める
3 喜ぶ
4 久しい
5 率いる

(三) 部首名と部首

各1点 計10点

1 キ
2 彳
3 ク
4 心
5 エ
6 月
7 カ
8 金
9 ケ
10 犭

(四) 画数

各1点 計10点

1 12
2 16
3 2
4 5
5 10
6 12
7 2
8 8
9 3
10 9

(五) じゅく語の構成

各2点 計20点

1 ア
2 イ
3 イ
4 エ
5 イ
6 イ
7 エ
8 ウ
9 ウ
10 ア

勝負 勝(ち)⇕負(け)
順序 どちらも「物事のならび」の意。
招集 どちらも「よび寄せる」の意。
求職 求(める)↑職(を)
祝賀 どちらも「いわう」の意。
検査 どちらも「しらべる」の意。
加熱 加(える)↑熱(を)
仮説 仮(の)↓説
急病 急(な)↓病(病気)
増減 増(える)⇕減(る)

(六) 三字のじゅく語

各2点 計20点

グレーの部分は解答の補足です。

1 **在**庫品
2 軽犯**罪**
3 **雑**木林
4 実**質**的
5 **支**配人
6 文化**財**
7 **授**賞式
8 **謝**礼金
9 **絶**望的
10 手**術**室

倉庫にある商品。
軽度の犯罪。
家具などの材料にならない種々雑多の樹木の林。
外見よりも実際の内容が備わっているさま。
使用人の中で、営業主に代わって営業全般を取りしきる者。
文化的価値のあるもの。
賞を授与する式。
感謝の気持ちを表すためのお金。
全く望みが持てないほど状況が悪いこと。
病院で手術が行われる部屋。

(七) 対義語・類義語

各2点 計20点

グレーの部分は問題のじゅく語と解答の補足です。

1 順境⇔逆境
2 苦手⇔得意
3 任意⇔強制
4 形式⇔内容
5 損失⇔利益
6 平等＝均等
7 定住＝永住
8 動機＝原因
9 責務＝義務
10 関心＝興味

1「順境」は、周りの環境のつごうがよく、暮らしやすいこと。「逆境」は物事がうまくいかず苦労の多い境遇。

9「義」は点が必要。

(八) じゅく語作り

各2点 計12点

細字の部分は解答の補足です。

1 ク 基調
2 ウ 寄港
3 オ 紀元
4 カ 朝刊
5 キ 幹事
6 サ 習慣

1「基調」は作品や思想などの根底に流れる基本的な考え方。

3「紀元」は歴史上の年数を数える出発点。その最初の年。

(九) 音と訓

各2点 計20点

1 ウ 真綿（まわた）
2 ア 意味（イミ）
3 エ 係員（かかりイン）
4 イ 仕方（シかた）
5 ウ 菜種（なたね）
6 ア 採集（サイシュウ）
7 イ 役場（ヤクば）
8 エ 身分（みブン）
9 ウ 羽織（はおり）
10 ア 無限（ムゲン）

5「菜種」は菜の花(アブラナ)の種子。搾って菜種油をとる。

9「羽織」は和服を着る際に着物の上に着る丈の短い衣服。

(十) 同じ読みの漢字

各2点 計18点

グレーの部分は解答の補足です。

1 厚(い)
2 暑(い)
3 (運)営
4 衛(星)
5 (定)価
6 河(川)
7 救(急車)
8 球(根)
9 (永)久(歯)

1「厚い」はものに厚みがある。2「暑い」は気温が高い。「あつい」はほかにも「熱い」(物の温度が高い)がある。使い分けに注意。

(十一) 漢字

各2点 計40点

グレーの部分は解答の補足です。

1 残留
2 重複
3 似(て)
4 弁当
5 防(ぐ)
6 貿易
7 余(る)
8 武者
9 殺(して)
10 編入
11 常
12 保温
13 大型
14 豊作
15 圧力
16 許(せば)
17 旧式
18 志
19 設(ける)
20 仏

1「残留」は、あとに残っていること。

2「重複」は同じ物事が重なること。「じゅうふく」とも読む。ころもへん(ネ)に注意。

7「目に余る」は、度がひどすぎて黙っていられないこと。

8「武者ぶるい」は、興奮して体が震えること。

10「編入」は、組み入れること。

15「圧力なべ」は高圧・高温で調理できるように工夫されたなべ。

20「仏作ってたましい入れず」は、仏像を作った者が仏像に魂を入れなければ、それはただの石や木と同じである。いちばん大事なものが抜け落ちていることのたとえ。

問題は本冊P52~57

(一) 読み　各1点 計20点

グレーの部分は解答の補足です。

1 あ(み)
2 さつじん
3 はか
4 ふくげん
5 ゆめ
6 ほいくし
7 ゆた(か)
8 ほうこく
9 まよ(い)
10 ま(ぜる)
11 りょうしき
12 ゆにゅうひん
13 かわら
14 ちゃくがんてん
15 りゃくれき
16 みちび(く)
17 ようりょう
18 と(め)
19 きゅうむ
20 まわた

4「復元」はもとの状態や位置にもどすこと。またもどること。

13「河原」は特別な読み方。「川原」とも書く。

15「略歴」はだいたいの経歴。また、それを書き記したもの。

17「要領」は、物事の急所。コツ。

20「真綿で首をしめる」は、遠まわしにじわじわと責めて動きをとれなくすることのたとえ。

(二) 漢字と送りがな　各2点 計10点

1 比べる
2 支える
3 易しい
4 貧しい
5 備える

(三) 部首名と部首　各1点 計10点

1 エ　2 言
3 ウ　4 亻
5 ク　6 貝
7 キ　8 刂
9 ア　10 尸

(四) 画数　各1点 計10点

1 14
2 15
3 6
4 7
5 4
6 8
7 4
8 5
9 10
10 12

(五) じゅく語の構成　各2点 計20点

1 ウ　清流　清(い)↓流(れ)
2 イ　移転　どちらも「うつる・かわる」の意。
3 ア　断続　断(つ)⇕続(く)
4 エ　在庫　在(る)↑庫(倉庫に)
5 エ　採血　採(る)↑血(を)
6 イ　包囲　どちらも「つつむ」の意。
7 ウ　祝電　祝(いの)↓電(電報)
8 イ　豊富　どちらも「ゆたか」の意。
9 ウ　素質　素(もとからの)↓質(性質)
10 ウ　予測　予(あらかじめ)↓測(る)

(六) 三字のじゅく語　各2点 計20点

グレーの部分は解答の補足です。

1 競**技**場　スポーツ競技を行う施設の総称。
2 **証**言台　裁判所で、証人が体験した事実を話す場所。
3 標**準**語　一国の公用語として用いられる、共通の言葉。
4 安全**性**　安全である状態の度合い。
5 鉄**鉱**石　鉄を含む鉱石。
6 **職**員室　教師が授業以外の校務を行う部屋。
7 新**製**品　新たに開発された商品。
8 人**情**話　落語で、世情や人情を題材としたもの。
9 **招**待状　集まりに人を招くために出される書状。
10 平**常**心　いつもと変わらない穏やかな心。

(七) 対義語・類義語 各2点 計20点

グレーの部分は問題のじゅく語と解答の補足です。

1 希望（きぼう）⇔絶望（ぜつぼう）
2 受賞（じゅしょう）⇔授賞（じゅしょう）
3 切断（せつだん）⇔接続（せつぞく）
4 当番（とうばん）⇔非番（ひばん）
5 放任（ほうにん）⇔規制（きせい）
6 改正（かいせい）＝修正（しゅうせい）
7 結束（けっそく）＝団結（だんけつ）
8 交易（こうえき）＝貿易（ぼうえき）
9 発行（はっこう）＝出版（しゅっぱん）
10 人気（にんき）＝評判（ひょうばん）

2「受賞（じゅしょう）―授賞（じゅしょう）」は読み方が同じなのでわかりにくいが、「（物品（ぶっぴん）の）授受（じゅじゅ）」という熟語から、解答を導き出す。

4「非番（ひばん）」は当番ではないこと。またその人。

(八) じゅく語作り 各2点 計12点

細字の部分は解答の補足（ほ）です。

1 カ 個室（こしつ）
2 オ 故国（ここく）
3 ク 強固（きょうこ）
4 サ 事件（じけん）
5 コ 保険（ほけん）
6 ウ 検便（けんべん）

2「故国（ここく）」は自分が生まれた国。母国。祖国。

(九) 音と訓 各2点 計20点

1 ウ 枝葉（えだは）
2 ウ 似顔（にがお）
3 エ 厚地（あつジ）
4 ア 罪人（ザイニン）
5 イ 雑木（ゾウき）
6 エ 強気（つよキ）
7 ア 複雑（フクザツ）
8 ア 境界（キョウカイ）
9 ア 本質（ホンシツ）
10 イ 両足（リョウあし）

3「厚地（あつじ）」は厚い布。地が厚手であること。「地（ジ）」は音読み。訓読みと間違（ちが）えやすいので注意。

(十) 同じ読みの漢字 各2点 計18点

グレーの部分は解答の補足（ほ）です。

1 群（むら）（がる）
2 村（むら）
3 基（き）（地）（ち）
4 寄（き）（生虫）（せいちゅう）
5 禁（きん）（物）（もつ）
6 均（きん）（一）（いつ）
7 慣（かん）（習）（しゅう）
8 幹（かん）（事）（じ）
9 （参）（さん）観（かん）（日）（び）

5「禁物（きんもつ）」はしてはいけないこと。してはいけない事柄（がら）。

8「幹事（かんじ）」はある会などの世話役の人。

(十一) 漢字 各2点 計40点

グレーの部分は解答の補足（ほ）です。

1 応対（おうたい）
2 確（たし）（かめる）
3 効（き）（いて）
4 過（す）（ごす）
5 歴史（れきし）
6 構図（こうず）
7 永続（えいぞく）
8 志願（しがん）
9 営業（えいぎょう）
10 増（ふ）（やす）
11 教師（きょうし）
12 率（ひき）（いて）
13 示（しめ）（して）
14 金属（きんぞく）
15 節句（せっく）・節供（せっく）
16 耕（たがや）（して）
17 限（かぎ）（って）
18 条約（じょうやく）
19 罪（つみ）
20 余（あま）（り）

1「応対（おうたい）」を「応待」と書き間違（ちが）えやすい。同音の漢字には注意を。

7「永続（えいぞく）」は、ながつづき。

8「志願（しがん）」は自ら志し、願うこと。あることを望み、願い出ること。

12「率（ひ）いて」は、引き連れて、従（したが）えて。

15「節句（せっく）・節供（せっく）」は日本のこよみの一つで、伝統的な年中行事を行う季節の節目となる日のこと。五月五日は「端午（たんご）の節句（せっく）」。現代では男の子の節句とされ、武者人形などを飾（かざ）り、こいのぼりを立てて祝う。

19「罪（つみ）を着（き）せる」は無罪の人に罪をかぶせる。

第9回 テスト 解答・解説

問題は本冊 P58~63

(一) 読み　各1点 計20点

グレーの部分は解答の補足です。

1 きそく
2 あらわ(れる)
3 ねんりょう
4 つみ
5 れきし
6 こうさ
7 たがや(した)
8 ぜっさん
9 あ(る)
10 しょうじょう
11 あま(った)
12 きょうみ
13 ひき(いて)
14 けわ(しい)
15 ひさ(し)
16 しゃじ
17 どうせん
18 よ(って)
19 じんさい
20 まか(せる)

6「考査」はテストの意。

12「天体」は太陽や月、星など宇宙に存在する物体の総称。

19「人災」は人間の不注意やなまけが原因で起こる災害。地震や台風、水害などの「天災」に対して作られた言葉。

20「運を天に任せる」は成り行きに従うこと。

(二) 漢字と送りがな　各2点 計10点

1 救う
2 肥やす
3 営む
4 永く
5 暴れる

(三) 部首名と部首　各1点 計10点

1 キ
2 土
3 オ
4 米
5 ケ
6 尸
7 ア
8 口
9 ウ
10 火

(四) 画数　各1点 計10点

1 7
2 12
3 12
4 14
5 2
6 5
7 8
8 10
9 14
10 20

(五) じゅく語の構成　各2点 計20点

1 エ　防火　防(ぐ)↑火(を)
2 ア　去来　去(る)↕来(る)
3 ア　損得　損(失う)↕得(る)
4 イ　計測　どちらも「はかる」の意。
5 ウ　街灯　街(の)↓灯(あかり)
6 ア　遠近　遠(い)↕近(い)
7 エ　保温　保(つ)↑温(かさを)
8 エ　取材　取(りあつめる)↑材(材料を)
9 イ　禁止　どちらも「やめる」の意
10 ウ　眼下　眼(の)↓(下)

(六) 三字のじゅく語　各2点 計20点

グレーの部分は解答の補足です。

1 政治家
2 許容量
3 消費税
4 大運河
5 不採用
6 飼育係
7 綿織物
8 無期限
9 慣用句
10 逆効果

1 職業として政治を行い、専門的に携わる人。
2 影響がないとされる最大限の量。
3 消費に対して課される税金。
4 大きな運河。
5 意見やアイデア、人材などが用いられないこと。
6 動物を育てる係。
7 綿を素材にした織物。
8 期限を定めないこと。
9 二語以上の単語が結合し、別の意味を表す複合語。
10 思ったものとは反対の効果。

(七) 対義語・類義語　各2点 計20点

グレーの部分は問題のじゅく語と解答の補足です。

1 応用⇔基本
2 連続⇔中断
3 合成⇔分解
4 固定⇔移動
5 不作⇔豊作
6 家屋＝住居
7 赤字＝損失
8 発行＝発刊
9 仕事＝職業
10 加減＝程度

10「加減」には「加え減らす」以外に、「程度や具合」という意味がある。「加限」では×。

(八) じゅく語作り　各2点 計12点

細字の部分は解答の補足です。

1 ア 歴史
2 サ 支店
3 オ 資本
4 ウ 旧知
5 キ 持久
6 イ 給食

2「支店」は本店とはちがう場所にあり、本店の指揮のもとに活動を行う営業所。

4「旧知」は古くからの知り合い。

(九) 音と訓　各2点 計20点

1 イ 味方
2 ア 夢中
3 ウ 書留
4 ア 会社
5 エ 湯茶
6 ウ 枝豆
7 ア 愛妻
8 エ 荷物
9 ウ 仏心
10 イ 職場

3「書留」は書留郵便の略。

9「仏心」はさとり深く、物事に迷わない心。

(十) 同じ読みの漢字　各2点 計18点

グレーの部分は解答の補足です。

1 増(す)
2 混(じる)
3 (記)述
4 (話)術
5 (正)確
6 (性)格
7 評(判)
8 (投)票
9 標(示)

3「述」、4「術」は点つき。7「評」はごんべん、9「標」はきへん。「標示」「表示」の違いも確認しておこう。

(十一) 漢字　各2点 計40点

グレーの部分は解答の補足です。

1 武士
2 常
3 統合
4 夫婦
5 空輸
6 修(める)
7 情(け)
8 講習
9 責(める)
10 造作
11 桜
12 張(って)
13 迷(う)
14 演(じる)
15 衛星
16 貸(す)
17 順序
18 招(き)
19 往復
20 勢(い)

3「統合」は二つ以上のものをまとめ合わせること。

5「空輸」は航空機で人や荷物を運ぶこと。「空中輸送」の略。

7「情け深い」は思いやりの心が強い。人情味にあふれている。

10「無造作」はたやすいこと。技巧をこらさないこと。注意深い様子ではなく、気にせず手軽に行うこと。またそのさま。

20「飛ぶ鳥を落とす勢い」は空を飛ぶ鳥が落ちてしまうほど、勢いが盛んなこと。

問題は本冊P64~69

(一) 読み

各1点 計20点

グレーの部分は解答の補足です。

1 きじゅん
2 さくらがい
3 おうせつ
4 まず(しく)
5 に(て)
6 ざいせい
7 じゅぎょう
8 きしょう
9 せんりゃく
10 こころよ(い)
11 ことわ(った)
12 ささ(え)
13 べんとう
14 やさ(し)
15 けんざん
16 むしゃ
17 つと(めた)
18 うつ(って)
19 ねんが
20 そん

3 **「応接室」**は、一般の住宅や会社、学校などで、来客の応対をする部屋。
15 **「検算」**は答えが正しいか確かめる「試し算」。
16 **「武者ぶるい」**は、興奮して体が震えること。
20 **「損して得取れ」**は一時的に損をしたとしても、その損が将来大きな利益として返ってくると考えるべしということ。

(二) 漢字と送りがな

各2点 計10点

1 解ける
2 易しい
3 許す
4 絶える
5 余す

(三) 部首名と部首

各1点 計10点

1 カ
2 貝
3 ウ
4 扌
5 ク
6 心
7 ア
8 土
9 ケ
10 犭

(四) 画数

各1点 計10点

1 2
2 10
3 3
4 11
5 13
6 15
7 1
8 8
9 6
10 11

(五) じゅく語の構成

各2点 計20点

1 イ
2 ウ
3 エ
4 イ
5 ア
6 ア
7 イ
8 エ
9 ウ
10 イ

安易 どちらも「かんたん」の意。
永住 永(く)↓住(む)
受粉 受(ける)↑(花)粉(を)
建築 どちらも「たてる」の意。
悲喜 悲(しみ)⇕喜(び)
売買 売(る)⇕買(う)
賞賛 どちらも「ほめる」の意。
造船 造(る)↑船(を)
最適 最(も)↓適(する)
映写 どちらも「うつす」の意。

(六) 三字のじゅく語

各2点 計20点

グレーの部分は解答の補足です。

1 **酸**性雨
2 不**可**欠
3 新校**舎**
4 無意**識**
5 血**液**型
6 人**件**費
7 **松**竹梅
8 自画**像**
9 品**評**会
10 **非**常口

酸性度の強い雨。
なくてはならないこと。またそのさま。
新しく建てた校舎。
自分のしていることに気づかないこと。またそのさま。
さまざまに分類される血液のタイプ。
人の労働に対して支払われる費用。給料など。
松と竹と梅。めでたいものとして祝い事に使われる。
自分で描いた自分自身の顔や姿。
産物や製品などを集めて、その優劣を定める会。
建物や乗り物で、非常時に逃げるための出入り口。

(七) 対義語・類義語 各2点 計20点

グレーの部分は問題のじゅく語と解答の補足です。

1 全体⇔個別
2 増加⇔減少
3 失点⇔得点
4 自由⇔統制
5 修理⇔破損
6 全額＝総額
7 事実＝実際
8 不運＝逆境
9 強風＝暴風
10 光景＝情景

4「統制」は決まりに従い取り締まること。

8「逆境」は思うようにならない苦しい立場。

(八) じゅく語作り 各2点 計12点

細字の部分は解答の補足です。

1 コ 効用
2 イ 厚顔
3 ク 炭鉱
4 エ 再会
5 シ 災害
6 カ 夫妻

1「効用」は薬などの効き目。効能。使い道。

2「厚顔」はずうずうしく恥知らずなこと。またそのさま。

(九) 音と訓 各2点 計20点

1 ア 側面
2 ウ 真綿
3 ア 出演
4 イ 版木
5 ウ 得手
6 エ 布地
7 ア 文句
8 イ 絵皿
9 エ 消印
10 イ 旧型

2「真綿」は蚕のまゆを引きのばして作られるわたのこと。

4「版木」は木版印刷で、文字や絵などを彫った板。

(十) 同じ読みの漢字 各2点 計18点

グレーの部分は解答の補足です。

1 留（める）
2 富（む）
3 （質）素
4 祖（先）
5 義（理）
6 技（師）
7 （重）責
8 （成）績（表）
9 積（雪）

1「留める」と「止める」の使い分けを辞書で調べておこう。

7「重責」は重い責任。

(十一) 漢字 各2点 計40点

グレーの部分は解答の補足です。

1 禁（じる）
2 豊（か）
3 綿
4 清潔
5 構（え）
6 資格
7 花粉
8 混雑
9 確率
10 保（つ）
11 夢
12 比（べて）
13 復元
14 告発
15 現（れた）
16 救護
17 銀河
18 険（しい）
19 耕（し）
20 過（ぎ）

3「綿のようにつかれる」は、非常に疲れることのたとえ。

9「確率」はある事柄・出来事の起こる可能性の度合い。

13「復元」はもとの状態や位置にもどすこと。また、もどること。

20「薬も過ぎれば毒となる」は、どんなに良いものであっても、度をこせば害になるというたとえ。

第11回テスト 解答・解説

問題は本冊P70~75

(一) 読み（各1点 計20点）

グレーの部分は解答の補足です。

1 へ(て)
2 あつがみ
3 しょうひぜい
4 あば(れて)
5 めんめん
6 かぜい
7 ようい
8 あ(み)
9 ぞうき
10 な(れた)
11 きんしょう
12 いきお(い)
13 え(る)
14 ぞうかん
15 ぎゃっこう
16 ゆけつ
17 と(める)
18 ざいがく
19 まね(かれる)
20 そな(え)

5「綿綿」は長く続く様子。

7「容易」はたやすいこと。易しいこと。

15「逆行」は進行方向の反対に進むこと。

20「備えあればうれいなし」は常日頃から準備をしておけば、いざというときに心配がないということ。

(二) 漢字と送りがな（各2点 計10点）

1 寄せる
2 示す
3 快い
4 構える
5 任せる

(三) 部首名と部首（各1点 計10点）

1 キ　2 言
3 ア　4 木
5 ク　6 土
7 エ　8 巾
9 オ　10 日

(四) 画数（各1点 計10点）

1 3
2 14
3 4
4 7
5 8
6 14
7 8
8 13
9 6
10 14

(五) じゅく語の構成（各2点 計20点）

1 ア　天地　天⇔地
2 エ　製鉄　製(製造する)↑鉄(を)
3 イ　規則　どちらも「手本・おきて」の意。
4 イ　技術　どちらも「わざ」の意。
5 ウ　予告　予(あらかじめ)↓告(げる)
6 イ　飼育　どちらも「そだてる」の意。
7 ウ　木造　木(で)↓造(る)
8 エ　出題　出(す)↑題(を)
9 ア　昼夜　昼⇔夜
10 ウ　再会　再(び)↓会(う)

(六) 三字のじゅく語（各2点 計20点）

グレーの部分は解答の補足です。

1 **基**本的　物事の大本にかかわるさま。
2 **過**不足　多過ぎることと、少な過ぎること。
3 出**版**社　書籍や雑誌などを製作・発行する会社。
4 **混**合物　二種以上の異なる物質が混じり合ったもの。
5 不利**益**　利益にならないこと。損になること。
6 **賛**美歌　キリスト教で神をほめたたえる歌。「讃」は6級では×。
7 調理**師**　免許を取得し、調理の業務に従事する者。
8 無事**故**　事故が起こっていないこと。起こさないこと。
9 方**眼**紙　直角に交わる縦横の直線が印刷された紙。
10 **複**製品　元のものと同様に作ったもの。似せて作ったもの。レプリカ。

(七) 対義語・類義語

各2点 計20点

グレーの部分は問題のじゅく語と解答の補足です。

1 新式（しんしき）⇔旧式（きゅうしき）
2 未定（みてい）⇔確定（かくてい）
3 活動（かつどう）⇔休養（きゅうよう）
4 主語（しゅご）⇔述語（じゅつご）
5 完敗（かんぱい）⇔圧勝（あっしょう）
6 様子（ようす）＝状態（じょうたい）
7 案内（あんない）＝先導（せんどう）
8 素質（そしつ）＝才能（さいのう）
9 高額（こうがく）＝高価（こうか）
10 老後（ろうご）＝余生（よせい）

5「完敗」は完全に負けること、「圧勝」は大差で勝つこと。

7「先導」は先に立って導くこと。

10「余生」は老後の時間。

(八) じゅく語作り

各2点 計12点

細字の部分は解答の補足です。

1 コ 半減（はんげん）
2 ア 限界（げんかい）
3 シ 再現（さいげん）
4 ク 比重（ひじゅう）
5 オ 非番（ひばん）
6 ウ 肥満（ひまん）

3「再現」はもう一度現すこと。またもう一度現れること。

5「非番」は当番でないこと。またその人。

(九) 音と訓

各2点 計20点

1 エ 梅酒（うめシュ）
2 イ 帳場（チョウば）
3 ウ 夜桜（よざくら）
4 ア 銅貨（ドウカ）
5 イ 定宿（ジョウやど）
6 ア 正義（セイギ）
7 ウ 時折（ときおり）
8 ウ 塩味（しおあじ）
9 ア 検査（ケンサ）
10 エ 建具（たてグ）

10「建具」は戸・障子・ふすまなど、室内を区切るために取り付けて開けたり閉めたりするもの。

(十) 同じ読みの漢字

各2点 計18点

グレーの部分は解答の補足です。

1 写（うつ）（す）
2 移（うつ）（す）
3 （許）可（きょか）
4 仮（設）（かせつ）
5 （日）程（にってい）
6 停（止）（ていし）
7 採（点）（さいてん）
8 （国）際（こくさい）
9 妻（子）（さいし）

4「仮設」は必要に応じて仮に設置すること。

(十一) 漢字

各2点 計40点

グレーの部分は解答の補足です。

1 織（お）（り）
2 責務（せきむ）
3 絶（た）（え）
4 均整（きんせい）
5 測（はか）（る）
6 効（き）（かず）
7 罪悪（ざいあく）
8 財産（ざいさん）
9 燃料（ねんりょう）
10 破（やぶ）（って）
11 粉（こ）
12 墓地（ぼち）
13 境（さかい）
14 防犯（ぼうはん）
15 志（こころざし）
16 貯金（ちょきん）
17 要因（よういん）
18 職業（しょくぎょう）
19 独（ひと）（り）
20 仏（ほとけ）

2「責務」は責任と義務。また、責任として果たすべき務め。

4「均整」はつりあい。

5「測る」は長さ、深さ、面積などを調べる、「計る」と「図る」などの意味も辞書で調べておこう。

17「要因」は物事がそのようになった主な原因。

20「仏の顔も三度」は、どんなに温厚な人でも、何度も無礼な言動をすれば、しまいには怒ることのたとえ。

(一) 読み 各1点 計20点

グレーの部分は解答の補足です。

1 きんし
2 さらいげつ
3 こ
4 じょうび
5 きゅうご
6 ゆうえき
7 さか
8 しがん
9 ひき(いて)
10 わた
11 いとな(んで)
12 た(え)
13 そしき
14 こっきょう
15 しゃざい
16 えだ
17 ほとけ
18 じょうぎ
19 たも(つ)
20 しそん(ずる)

14「国境」は一般的には「こっきょう」と読むが「くにざかい」と読む場合もある。

17「知らぬが仏」は、知れば腹が立つようなことも、知らなければ仏のように穏やかな心でいられるということのたとえ。また、本人だけが知らずに平気でいる様子をあざけって言うことば。

20「急いては事を仕損ずる」は、急がず落ち着いてやりなさいの意。

(二) 漢字と送りがな 各2点 計10点

1 築く
2 造る
3 比べる
4 燃える
5 厚い

(三) 部首名と部首 各1点 計10点

1 エ 2 羊
3 コ 4 貝
5 オ 6 口
7 ア 8 行
9 ク 10 氵

(四) 画数 各1点 計10点

1 11
2 14
3 9
4 11
5 5
6 18
7 8
8 13
9 5
10 8

(五) じゅく語の構成 各2点 計20点

1 ア
2 エ
3 ウ
4 エ
5 ウ
6 エ
7 ウ
8 イ
9 ア
10 イ

順逆 順(さからわない)⇔逆(さからう)
絶食 絶(つ)↑食(を)
圧力 圧(する)↓力
指名 指(す)↑名(を)
大志 大(きな)↓志
消灯 消(す)↑灯(あかりを)
大仏 大(きな)↓仏
志望 どちらも「のぞむ」の意。
細大 細(かい)⇔大(きい)
停止 どちらも「とまる」の意。

(六) 三字のじゅく語 各2点 計20点

グレーの部分は解答の補足です。

1 不正解
2 探検家
3 効果的
4 句読点
5 無制限
6 記述式
7 方程式
8 桜前線
9 感謝状
10 災害地

解答を間違えること。

未知の地域に赴き、調査をする人。

効き目が目に見えて現れるさま。

句点と読点。多くは句点に「。」、読点に「、」を使う。

制限がないこと。制限しないこと。

テストの解答のしかたのうち、文章で書き記す形式。

未知数に特定の数値を入れたときに成り立つ等式。

桜の開花日が同じ地域を結んだ線。

感謝の意を記しておくる書状。

地震・台風などわざわいに見舞われた場所。

問題は本冊P76~81

(七) 対義語・類義語 各2点 計20点

グレーの部分は問題のじゅく語と解答の補足です。

1 感情⇔理性
2 集合⇔解散
3 実際⇔想像
4 用心⇔油断
5 固体⇔液体
6 風習＝慣習
7 留守＝不在
8 義務＝責任
9 永遠＝永久
10 決定＝可決

1「理性」は正しく判断すること、きちんと考えて行動する能力。

4「油断」は気を許すこと。不注意。

(八) じゅく語作り 各2点 計12点

細字の部分は解答の補足です。

1 ウ 興行
2 ク 耕作
3 ア 講座
4 ケ 河川
5 オ 過去
6 シ 仮説

1「興行」は音楽やスポーツを入場料をとって客に見せること。

6「仮説」はある現象を説明できるように仮に立てる説。

(九) 音と訓 各2点 計20点

1 ウ 墓場
2 ア 導火
3 ウ 厚着
4 イ 現場
5 ウ 初孫
6 エ 麦茶
7 ア 告発
8 イ 試合
9 エ 庭師
10 ア 電圧

2「導火」は火薬を爆発させるためにつける火。口火。「導火線」は口火をつけるための線。

(十) 同じ読みの漢字 各2点 計18点

グレーの部分は解答の補足です。

1 経(る)
2 減(る)
3 (主)張
4 (手)帳
5 (消)防(士)
6 貿(易)
7 (対)象
8 招(待)
9 証(明書)

3「主張」は自分の意見を認めさせようとして強く言い張ること。また、その意見。

9「証明書」はある物事が真実であると明らかにする書類のこと。

(十一) 漢字 各2点 計40点

グレーの部分は解答の補足です。

1 評価
2 幹
3 脈
4 暴力
5 予報
6 快(い)
7 調査
8 貸(し)
9 増(えて)
10 採(り)
11 官舎
12 準
13 輸出
14 支(え)
15 別個
16 移(った)
17 団(らん)
18 確(か)
19 居(場所)
20 能

1「評価」は善悪などの価値を定めること。特に、高く価値を定めること。

11「官舎」は公務員が住むために国や役所が建てた家。

12「準」は「その次」という意味がある。

15「別個」は別々のものであること。また、そのさま。

20「能あるたかはつめをかくす」は、実力がある者ほどそれを表面に現さないことのたとえ。

問題は本冊P82～87

(一) 読み　各1点 計20点

グレーの部分は解答の補足です。

1 きょか
2 さかいめ
3 ちょきん
4 へ(って)
5 かくほ
6 ないよう
7 ゆにゅう
8 か(う)
9 さいけつ
10 せ(め)
11 い(る)
12 せつび
13 しめ(し)
14 やぶ(れ)
15 えいじゅう
16 おさ(める)
17 しはい
18 ひさ(しく)
19 ぼうえい
20 かほう

1「許可」は許すこと。禁止されていることを特定の人などに認めること。

13「示しがつかない」は、人に教える立場にありながら、良い例にならないこと。

14「破れかぶれ」は、どうにでもなれという気持ちになること。やけになること。

15「永住」は死ぬまでその土地に住むこと。

20「果報はねて待て」は、幸運はいずれやってくるものだから、あせらずに待てということわざ。

(二) 漢字と送りがな　各2点 計10点

1 慣れる
2 招く
3 留める
4 述べる
5 快い

(三) 部首名と部首　各1点 計10点

1 キ　2 木
3 ア　4 忄
5 ウ　6 示
7 コ　8 阝
9 カ　10 金

(四) 画数　各1点 計10点

1 4
2 12
3 5
4 14
5 12
6 19
7 1
8 7
9 8
10 17

(五) じゅく語の構成　各2点 計20点

1 ア
2 エ
3 ウ
4 エ
5 イ
6 イ
7 ウ
8 ウ
9 イ
10 ア

軽重　軽(い)⇕重(い)。「けいじゅう」とも読む。
入団　入(る)⬆団(に)
古書　古(い)⬇書
製塩　製(製造する)⬆塩(を)
岩石　どちらも「いし」の意。
損失　どちらも「うしなう」の意。
定価　定(められた)⬇価(値段)
大型　大(きな)⬇型(形態)
移動　どちらも「うつる・うごく」の意。
苦楽　苦(しい)⇕楽(しい)

(六) 三字のじゅく語　各2点 計20点

グレーの部分は解答の補足です。

1 旧正月
2 伝統的
3 貿易額
4 新幹線
5 仮分数
6 大接戦
7 不適応
8 救急車
9 弁護士
10 食中毒

1 陰暦の正月。
2 古くから受け継がれてきているさま。
3 外国と商品の売買を行った金額。
4 主要都市間を結ぶ高速鉄道の総称。
5 分子が分母より大きいか、または分母と等しい分数。
6 力量が近くなかなか決着のつかない非常に激しい戦い。
7 環境や条件などに適応できないこと。
8 病気やケガになった人を病院などへ運ぶための車。
9 依頼を受けて法律事務を行うことを職務とする者。
10 食べ物によって引き起こされる中毒のこと。

(七) 対義語・類義語　各2点 計20点

グレーの部分は問題のじゅく語と解答の補足です。

1 不便⇔便利
2 平常⇔非常
3 共同⇔単独
4 受領⇔提出
5 集合⇔解散
6 失敗＝過失
7 順番＝順序
8 意見＝主張
9 死者＝故人
10 熱中＝夢中

4「受領」は受け取ること、「提出」は差し出すこと。

6「過失」は不注意からの失敗。

(八) じゅく語作り　各2点 計12点

細字の部分は解答の補足です。

1 ア 制服
2 ク 行政
3 コ 運勢
4 エ 犯罪
5 シ 判別
6 カ 版画

2「行政」は法律など国の決まりに従い政治を行うこと。

5「判別」は見分けること。区別すること。

(九) 音と訓　各2点 計20点

1 ウ 屋根
2 ア 営利
3 ウ 織物
4 イ 客間
5 エ 桜草
6 ウ 綿雪
7 エ 手帳
8 ア 前述
9 ア 往生
10 イ 字引

8「前述」は前に述べたこと。

9「往生」は現世を去って仏の浄土に生まれること。死ぬこと。

(十) 同じ読みの漢字　各2点 計18点

グレーの部分は解答の補足です。

1 坂
2 逆（立ち）
3 航（海）
4 （鉄）鉱（石）
5 （観）測
6 （法）則
7 （保）険
8 （事）件
9 （点）検

3「航海」は海上を船でわたること。

5「観測」は自然現象を観察や測定をして変化を調べること。

(十一) 漢字　各2点 計40点

グレーの部分は解答の補足です。

1 築（く）
2 素材
3 無益
4 任（せる）
5 余興
6 酸味
7 似（合う）
8 賞賛・称賛
9 増（えて）
10 職務
11 枝
12 現在
13 着眼
14 厚（い）
15 耕（す）
16 性質
17 率（いる）
18 断（り）
19 基本
20 肥（ゆる）

3「無益」は利益にならないこと。むだなこと。

5「余興」は宴会などでおもしろみを加えるために行う演芸。

8「賞賛・称賛」はほめたたえること。「賞讃」とも書くが、「讃」は常用漢字ではないので×。

10「職務」は、役目としてその人その人が受け持っている仕事。担当の任務。

13「着眼」は物事をしたり考えたりするために、特定のところに目をつけること。

20「天高く馬肥ゆる秋」は、さわやかで快適な秋の良い時期のこと。

第14回 テスト 解答・解説

(一) 読み

各1点 計20点

グレーの部分は解答の補足です。

1 こい
2 てき(して)
3 こうず
4 かいほう
5 つ(げる)
6 しんきゅう
7 まか(せ)
8 ぐんぜい
9 こうじゅつ
10 あば(れる)
11 かぎ(って)
12 すく(われ)
13 まよ(って)
14 きかん
15 ふ(え)
16 けっそん
17 ひと(り)
18 けつあつ
19 はか
20 なさ(け)

14「基幹産業」は一般的に、一国の経済の基礎をなすような重要産業のことをいう。

17「独り者」は結婚をしていない人。

20「情けは人のためならず」は人に親切にすることは巡り巡って自分のためになるということ。

(二) 漢字と送りがな

各2点 計10点

1 責める
2 確かめる
3 減らす
4 再び
5 破る

(三) 部首名と部首

各1点 計10点

1 コ
2 氵
3 エ
4 力
5 カ
6 頁
7 ウ
8 阝
9 オ
10 心

(四) 画数

各1点 計10点

1 8
2 15
3 6
4 9
5 6
6 10
7 4
8 10
9 7
10 10

(五) じゅく語の構成

各2点 計20点

1 ア
2 エ
3 イ
4 ウ
5 ウ
6 イ
7 ウ
8 エ
9 ア
10 エ

寒暑 寒(い)⇔暑(い)
取材 取(りあつめる)↑材(材料を)
採取 どちらも「とる」の意。
美談 美(しい)↓談(はなし)
楽勝 楽(に)↓勝(つ)
満足 どちらも「みちる・たりる」の意。
夜景 夜(の)↓景(ながめ)
謝罪 謝(る)↑罪(を)
長短 長(い)⇔短(い)
点火 点(つける)↑火(を)

(六) 三字のじゅく語

各2点 計20点

グレーの部分は解答の補足です。

1 設計図
2 無所属
3 栄養価
4 個性的
5 似顔絵
6 反比例
7 禁漁区
8 不快感
9 使節団
10 仏教徒

建築物や機械を作るための図面。

属するところのないこと。どの政党にも属さないこと。

食品の栄養的価値。

他と比べて異なる個性をもっているさま。

ある人の顔に似せて描いた絵。

共に変化する二つの量が逆数に比例する関係。

法令により漁業が禁止されている区域。

いやな気分になるさま。

国の代表として外国に差し向けられる団体。

仏教の信者。

問題は本冊 P88~93

(七) 対義語・類義語

各2点 計20点

グレーの部分は問題のじゅく語と解答の補足です。

1 消失⇔出現
2 一時⇔永遠
3 実戦⇔演習
4 罪過⇔功績
5 不潔⇔清潔
6 生産＝製造
7 体制＝組織
8 通知＝報告
9 説明＝弁明
10 保健＝衛生

4「罪過」はつみという意味なので、対義語はてがらをあらわす「功績」が適切。

(八) じゅく語作り

各2点 計12点

細字の部分は解答の補足です。

1 ク 武者
2 イ 事務
3 サ 悪夢
4 エ 定石
5 ケ 白状
6 カ 常時

4「定石」はいごの最良の打ち方。

5「白状」は自分の犯した罪や隠していたことを話すこと。

6「常時」はいつも。常に。

(九) 音と訓

各2点 計20点

1 エ 酒代
2 ア 複雑
3 イ 重箱
4 エ 小判
5 ウ 貸家
6 ウ 罪人
7 ア 省略
8 ウ 河辺
9 イ 仕草
10 ア 文脈

5「かしいえ」とも読む。その場合も「訓＋訓」。

6「ざいにん」とも読む。その場合は「音＋音」。

(十) 同じ読みの漢字

各2点 計18点

グレーの部分は解答の補足です。

1 慣（らす）
2 鳴（らす）
3 往（年）
4 （対）応
5 （教）師
6 支（社）
7 婦（人科）
8 （豊）富
9 （配）布

3「往年」は過ぎ去った昔。

9「配布」は、広く一般の大勢の人に配ること。「配付」は、特定の人たちに配ること。混同しないよう注意する。

(土) 漢字

各2点 計40点

グレーの部分は解答の補足です。

1 殺人
2 祖国
3 絶（え）
4 正義
5 編（む）
6 易者
7 招（き）
8 築（く）
9 夫妻
10 非（公開）
11 仮
12 時効
13 導（く）
14 防災
15 額
16 可能
17 張（る）
18 貧（しい）
19 要領
20 寄（らず）

2「祖国」は祖先から住み続けてきており、自分も生まれた国。母国。

6「易者」は易占（ぜいちくや算木を用いる易の占い）などの占いを職業とする人。

12「時効」はある状態が一定期間続くことによって、権利を得たり、失ったりするという法律効果を認める制度。

19「要領」は物事の処理が上手であること。

20「君子あやうきに近寄らず」は、君子（学識・人格ともに優れた立派な人）は、自分の行動を慎み、危険なことには近づかないものだということ。

問題は本冊P94~99

(一) 読み
各1点 計20点

グレーの部分は解答の補足です。

1 しょうしゅう
2 こ(え)
3 どくとく
4 ふせ(ぐ)
5 ぼうえき
6 もう(ける)
7 かめん
8 かろう
9 まいご
10 てい
11 か(す)
12 と(った)
13 たいど
14 ほんどう
15 みちび(き)
16 しゅうちく
17 ていじ
18 まず(しい)
19 ぬのじ
20 せい(す)

1「招集」は多くの人を招き集めること。

2「目が肥える」はよいものを見分ける力が優れていること。

8「過労」は体や精神に変調をきたすほど働きすぎて、疲れがたまること。

17「提示」はその場に差し出し、見せること。

20「先んずれば人を制す」は、どんなことでも人より先に行えば、それだけ有利な立場に立つことができるということ。

(二) 漢字と送りがな
各2点 計10点

1 告げる
2 険しい
3 帯びる
4 耕す
5 試みる

(三) 部首名と部首
各1点 計10点

1 ア　2 扌
3 コ　4 亻
5 ク　6 巾
7 キ　8 辶
9 ウ　10 糸

(四) 画数
各1点 計10点

1 3
2 11
3 7
4 14
5 8
6 14
7 5
8 14
9 3
10 4

(五) じゅく語の構成
各2点 計20点

1 ア
2 エ
3 ウ
4 イ
5 エ
6 イ
7 ウ
8 ウ
9 ア
10 イ

発着　発(する)⇕着(く)
検温　検(しらべる)↑温(温度を)
急増　急(に)↓増(える)
境界　どちらも「さかい」の意。
寄港　寄(る)↑港(に)
通過　どちらも「とおる」の意。
朝刊　朝(に)↓刊(刊行される新聞)
永住　永(遠に)↓住(む)
当落　当(たる)⇕落(ちる)
表現　どちらも「あらわす」の意。

(六) 三字のじゅく語
各2点 計20点

グレーの部分は解答の補足です。

1 **精**米所
2 不**確**定
3 大**豊**作
4 **夢**物語
5 **資**本金
6 無神**経**
7 **責**任感
8 **衣**食住
9 **編**集長
10 愛**妻**家

精米所　玄米をついて白くする作業を行う場所。
不確定　はっきりと定まらないこと。
大豊作　農作物がたくさん実って非常に多くとれること。
夢物語　見た夢の話。夢のような現実的でない話。
資本金　事業をするのに必要なお金。もとになるお金。
無神経　感じ方がにぶいこと。人に対して気配りがないこと。
責任感　自分の責任を果たそうとする気持ち。
衣食住　衣服、食べ物、住む場所。生活に不可欠なもの。
編集長　編集作業の全体をまとめる責任者。
愛妻家　妻をふつう以上に大事にする夫。

(七) 対義語・類義語 各2点 計20点

グレーの部分は問題のじゅく語と解答の補足です。

1 分散⇔統一
2 小計⇔総計
3 実行⇔準備
4 消火⇔燃焼
5 終章⇔序章
6 希望＝志望
7 旅館＝宿舎
8 能率＝効率
9 交通＝往来
10 点検＝検査

6「志望」は自分はこうしたい、こうなりたいと望むこと。

8「能率」は仕事のはかどり方。

(八) じゅく語作り 各2点 計12点

細字の部分は解答の補足です。

1 ケ 造船
2 エ 実像
3 オ 増進
4 シ 軽快
5 キ 改札
6 イ 理解

2「実像」はレンズや反射鏡によって反射・屈折した光が交わってできる像。

(九) 音と訓 各2点 計20点

1 エ 湯気（ゆゲ）
2 ア 均質（キンシツ）
3 エ 大判（おおバン）
4 エ 関所（せきショ）
5 ウ 山桜（やまざくら）
6 ウ 右側（みぎがわ）
7 イ 新顔（シンがお）
8 ウ 節目（ふしめ）
9 ア 事態（ジタイ）
10 ア 領海（リョウカイ）

2「均質」はその物のどの部分も質が均一（同じ）でムラがない。

10「領海」はその国の権利がおよぶ海。土地の場合は「領土」「領地」。

(十) 同じ読みの漢字 各2点 計18点

グレーの部分は解答の補足です。

1 努（めて）
2 務（める）
3 賛（辞）
4 酸（素）
5 居（住）
6 （特）許
7 （温）厚
8 講（義）
9 （復）興

1「努める」は力をつくす、努力する。2「務める」は任務や役目を果たすために力を出す。

9「復興」は衰えていたものが再び盛んになる、盛んにすること。

(土) 漢字 各2点 計40点

グレーの部分は解答の補足です。

1 再（び）
2 液状
3 破（れる）
4 武道
5 重税
6 際限
7 保（つ）
8 容積
9 常
10 習慣
11 音程
12 喜（ぶ）
13 貯金
14 罪
15 断（り）
16 証明
17 余（った）
18 勢（い）
19 永久
20 仏

5「重税」は非常に高い税金。

6「際限」は物事の果て、かぎり。

16「証明」は物事の真偽を確かな証拠、または事実を示して明らかにすること。

20「地ごくで仏」は非常に危険な状況や苦しい立場に立った中で、思わぬ助けにあったときのうれしさのたとえ。「地ごくで仏に会ったようだ」などと使う。

問題は本冊P100〜105

(一) 読み

各1点 計20点

グレーの部分は解答の補足です。

1 とくてん
2 ゆた(か)
3 かんれい
4 けわ(しい)
5 ぶんせき
6 ぜっく
7 ひたい
8 ぜいりつ
9 は(る)
10 はかく
11 くら(べる)
12 の(べる)
13 そくてい
14 はんのう
15 つく(り)
16 つま
17 しりょう
18 つねづね
19 こうい
20 なさ(け)

5「文責」とはその文や記事についての責任。

6「絶句」は話や演説、演劇の途中で言うべき言葉が出てこず、言葉に詰まること。

7「額にあせする」はあせを流して必死に働くこと。

16「めとる」は妻として迎える。

20「旅は道連れ世は情け」は旅には道連れがいると心強いように、世の中を渡っていくには互いに仲良く思いやりをもつことが大切だということ。

(二) 漢字と送りがな

各2点 計10点

1 豊かな
2 構える
3 志す
4 混ぜる
5 営む

(三) 部首名と部首

各1点 計10点

1 コ
2 亻
3 キ
4 糸
5 ア
6 扌
7 ウ
8 禾
9 ク
10 貝

(四) 画数

各1点 計10点

1 12
2 16
3 7
4 16
5 6
6 12
7 2
8 14
9 8
10 12

(五) じゅく語の構成

各2点 計20点

1 エ
2 ウ
3 イ
4 イ
5 ウ
6 ア
7 ウ
8 エ
9 ア
10 ウ

失業　失(う)↑業(仕事を)
墓地　墓(のある)↓地(土地)
居住　どちらも「すむ」の意。
救助　どちらも「たすける」の意。
小枝　小(さな)↓枝
自他　自(自分)↕他(他人)
旧知　旧(ふるくから)↓知(っている人)
休刊　休(む)↑刊(新聞などの刊行を)
高低　高(い)↕低(い)
酸性　酸(の)↓性(性質)

(六) 三字のじゅく語

各2点 計20点

グレーの部分は解答の補足です。

1 **貯**金箱
2 教**則**本
3 標**準**的
4 持**久**戦
5 好成**績**
6 無条**件**
7 共**犯**者
8 **雑**貨店
9 国**際**化
10 **防**風林

貯金箱　お金をためるための箱状のもの。
教則本　基本技術から順を追って学べるように書いた教科書。
標準的　物事の基準となるさま。ごくふつうであるさま。
持久戦　根気よく時間をかけて戦う戦法。
好成績　良い成績。
無条件　なんの条件もつけないこと。
共犯者　犯罪を共同で行った者。犯罪に関係した者。
雑貨店　こまごまとした日用品を売る店。
国際化　経済や文化が国際的な規模に広がること。
防風林　風害を防ぐために海岸などに設けた林。

(七) 対義語・類義語 各2点 計20点

グレーの部分は問題のじゅく語と解答の補足です。

1 往路⇔復路
2 求人⇔求職
3 雨天⇔快晴
4 用心⇔油断
5 精神⇔物質
6 建築＝建設
7 材料＝素材
8 知力＝知識
9 演説＝講演
10 基本＝根幹

10「根幹」は根と幹。また、物事の最も大切なところ。根本。

(八) じゅく語作り 各2点 計12点

細字の部分は解答の補足です。

1 キ 講堂
2 ケ 指導
3 ク 銅貨
4 サ 世評
5 コ 投票
6 カ 目標

1「講堂」は学校や会社などで集会を行う場所。
3「銅貨」は銅でつくられたお金。
4「世評」は世間の評判。

(九) 音と訓 各2点 計20点

1 ウ 古巣
2 ア 輸送
3 ア 賞状
4 エ 指図
5 イ 気軽
6 ウ 仏様
7 エ 場面
8 ウ 空似
9 イ 総出
10 ア 回復

8「空似」は全く血縁関係のない他人同士なのに顔形がよく似ていること。

(十) 同じ読みの漢字 各2点 計18点

グレーの部分は解答の補足です。

1 表（れる）
2 現（れる）
3 独（立）
4 （食中）毒
5 （心）境
6 （遊）興
7 （健）在
8 （無）罪
9 財（産）

5「心境」は心の様子。
7「健在」は健康で元気に暮らしていること。また、そのさま。

(十一) 漢字 各2点 計40点

グレーの部分は解答の補足です。

1 布目
2 増（して）
3 技術
4 製
5 夢
6 寄（る）
7 逆
8 余（り）
9 版画
10 任（せて）
11 判断
12 許（せる）
13 接（す）
14 強制
15 想像
16 務（め）
17 略
18 原因
19 桜
20 損

4「自家製」は自分の家で作ったもの。

9「浮世絵」は江戸時代に描かれた、世間の風俗を題材にした絵。肉筆画（筆を使って描く絵）と版画がある。
16 5級漢字の「勤め」でも意味が通らなくはないが、「教授としての」とあるので「務め」が適切。

MEMO

MEMO

矢印方向に引くと別冊の解答・解説が外れます。▶